QUICKSTART VISUEL

PDF
avec Acrobat 5

Jennifer Alspach

Peachpit Press

Publié par Peachpit Press
47 bis, rue des Vinaigriers
75010 PARIS
Tél. : 01 72 74 90 00

Mise en pages : Andassa

ISBN : 2-7440-8023-3
Copyright © 2001 Peachpit Press
Tous droits réservés

Peachpit Press est une marque
de Pearson Education

Titre original : *Visual QuickStart Guide
PDF with Acrobat 5*

Traducteur : Damien Martin de la Salle

ISBN original : 0-201-74144-X
Copyright © 2002 by Jennifer Alspach

Peachpit Press, 1249 Eighth Street
Berkeley, CA 94710

Table des matières

Introduction

Si vous n'avez jamais utilisé Adobe Acrobat, vous allez vivre une expérience plaisante en découvrant tout ce que ce programme est capable de faire. Si Acrobat ne vous servait qu'à lire des documents PDF, vous serez étonné de découvrir "l'autre côté", c'est-à-dire la partie création et édition du programme. Si vous ne connaissez qu'Acrobat 4.0.1 ou une version plus ancienne, vous serez surpris par les nouvelles capacités et fonctions de cette version. Enfin, si vous avez déjà utilisé Acrobat 5, ce livre vous permettra de tirer le maximum de ce programme pour améliorer vos pages PDF.

Avec Acrobat 5, le PDF devient le format d'échange de documents le plus universel. Mieux encore, Acrobat Reader est gratuit et fonctionne avec les systèmes d'exploitation les plus répandus (Windows, Macintosh, OS/2 et même avec les systèmes basés sur UNIX).

Les nouveautés d'Acrobat 5

- Acrobat 5 améliore le format PDF. Ce nouveau format permet de partager le contenu ainsi que les documents eux-mêmes.

- Acrobat 5 possède plus de formats d'enregistrement qui comprennent les formats de fichier RTF, TIFF, JPEG et PNG. Cela simplifie l'édition pour les utilisateurs de documents PDF.

- Il est désormais possible de sécuriser réellement les documents grâce aux fonctions de sécurité d'Acrobat 5. La protection par mot de passe adopte désormais le chiffrement sur 120 bits.
- Vous pouvez ajouter une signature numérique à un document PDF, ce qui empêche sa modification après la signature.
- Il est possible de visualiser et d'ajouter des commentaires à un document PDF depuis un navigateur Web.
- Acrobat 5 offre un meilleur contrôle des couleurs et une meilleure intégration avec les autres programmes Adobe, comme Photoshop 6 ou Illustrator 9.
- Une page Web ou un site entier peuvent être convertis en fichiers PDF tout en conservant leurs liens.
- Il est possible d'utiliser des fonctions de traitement par lot pour améliorer la productivité.

Les composants d'Acrobat

Acrobat est composé de plusieurs modules qui seront tous présentés dans cet ouvrage.

- **Acrobat Reader** est le logiciel qui permet d'afficher les documents PDF. Gratuit, il peut être téléchargé sur le site Web Adobe à l'adresse **www.adobe.fr**. Acrobat Reader est présenté dans les Chapitres 1 et 2.
- **Acrobat eBook Reader** est également gratuit sur le site Web Adobe. Ce logiciel permet de lire des livres électroniques, de les annoter et d'effectuer des recherches sur leur contenu. Vous pouvez également prêter ou distribuer des livres électroniques. Consultez le Chapitre 3 pour plus de détails.

La version commerciale d'Acrobat contient les éléments suivants :

- **Acrobat** est le programme qui permet de personnaliser les fichiers PDF en les éditant et en y ajoutant des fonctions propres aux fichiers PDF, comme des boutons ou la possibilité de télécharger une page à la fois depuis le Web.
- **Acrobat Distiller** permet de transformer rapidement et facilement les fichiers PostScript en fichiers PDF. Reportez-vous au Chapitre 4 pour en savoir plus sur Distiller.
- **Acrobat PDF Writer** est le pilote d'impression qui permet de générer des fichiers PDF dans n'importe quelle application. Au lieu d'envoyer vos documents à une imprimante, vous pouvez créer un fichier PDF en utilisant le pilote PDF Writer.
- **Acrobat Capture** est le plug-in d'Acrobat qui permet de scanner un document et de le convertir au format PDF en une seule opération. Il existe une version plus puissante de ce logiciel disponible sous forme de produit séparé. Pour plus d'informations sur Adobe Capture, consultez le Chapitre 12.

Utilisateurs Macintosh et Windows

Acrobat a été conçu pour fonctionner sur plusieurs plates-formes : le logiciel de création et d'édition est disponible pour les plates-formes Macintosh et Windows. Les fichiers créés peuvent être consultés sur ces deux systèmes grâce à Acrobat Reader, mais aussi sur d'autres systèmes dont OS/2 et UNIX.

En dehors de quelques pages qui traitent spécifiquement de Macintosh ou de Windows, ce livre et tous les exemples qu'il présente sont valables avec tous les systèmes sur lesquels la famille de produit Adobe fonctionne (jusqu'à Macintosh OS 9.1 et Windows 2000). Acrobat Reader 5 contient un support natif pour Macintosh OS X.

Si vous disposez d'un système UNIX ou d'un système d'exploitation pour lequel Acrobat Reader n'est pas conçu, les sections sur Acrobat Reader vous seront utiles, mais ce ne sera pas le cas de celles qui traiteront de la création et de l'édition.

Acrobat Reader : fonctions basiques

Adobe Acrobat est une technologie étonnante qui permet de préparer un document électronique pouvant être lu sur presque n'importe quel système informatique. Toute personne disposant du logiciel Acrobat Reader (qui est gratuit) peut ouvrir et afficher les documents convertis au format PDF. Ils apparaîtront exactement tels qu'ils auront été conçus dans le logiciel d'édition. Le logiciel d'origine du document n'a aucune importance, il peut par exemple s'agir de Microsoft Word, de QuarkXPress, d'Adobe InDesign, d'Adobe Illustrator ou d'un logiciel aussi rare que Jimmy T's Gold Spreadsheet Generator (version 7.0).

Les pages qui suivent offrent un aperçu d'Acrobat Reader, et vous donneront l'occasion de découvrir toutes les capacités de ce logiciel.

Téléchargement d'Acrobat Reader

La plupart des gens téléchargent le logiciel gratuit Acrobat Reader afin de consulter les nombreux documents PDF (*Portable Document Format*) disponibles sur le Web. En général, les sites qui contiennent des documents PDF proposent un lien permettant de charger Acrobat Reader, mais vous pouvez également trouver ce logiciel sur le site Adobe.

Télécharger Acrobat Reader depuis le site Web Adobe

1. Rendez-vous sur le site Web Adobe (**www.adobe.fr**).

2. Sur la page d'accueil, cliquez sur le bouton Get Acrobat Reader. Vous serez peut-être obligé de faire défiler la page pour le trouver (voir Figure 1.1).

3. Dans la page Téléchargement d'Adobe Acrobat Reader, suivez les étapes imposées, choisissez la langue, la plate-forme et l'emplacement ; cliquez ensuite sur le bouton DOWNLOAD (voir Figure 1.3).

   Une fois que le téléchargement est terminé, le navigateur le décompresse automatiquement (Macintosh uniquement) et l'icône de l'installateur Acrobat Reader s'affiche sur le bureau (voir Figure 1.4).

ⓖ Astuces

- Sur Macintosh, Adobe utilise un installateur basé sur le Web. Lorsque vous cliquez sur le bouton DOWNLOAD, une petite application est envoyée sur votre ordinateur que vous exécuterez plus tard hors de votre navigateur.

Evénements ›
Programmes partenaires ›
Les sites Adobe ›
Offres d'emploi ›

Figure 1.1
Cliquez sur le bouton Get Acrobat Reader.

Figure 1.2
Cliquez sur le lien Acrobat Reader.

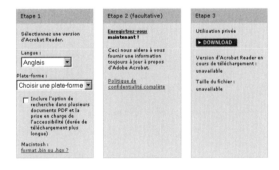

Figure 1.3
Choisissez la langue, la plate-forme et la zone de téléchargement, puis cliquez sur le bouton DOWNLOAD.

Figure 1.4
Double-cliquez sur l'icône d'installation d'Acrobat Reader : Windows (en haut), Macintosh (en bas).

- La plupart du temps, les personnes qui créent et distribuent des documents Acrobat PDF fournissent également Acrobat Reader. Si vous téléchargez un fichier PDF depuis une page Web, il y a de grandes chances pour qu'un lien permettant de charger Acrobat Reader vous soit proposé. Si le fichier provient d'un CD-ROM, vous y trouverez sans doute Acrobat Reader. Signalons enfin que ce programme est largement distribué sur les CD qui accompagnent les magazines informatiques.

- De nombreux sites contenant des fichiers PDF proposent un lien vers le site Adobe qui lance automatiquement le processus de téléchargement. Ce lien est en général identifié par une icône (ou un badge selon la terminologie d'Adobe) semblable à celle de la Figure 1.1.

- Le lien de téléchargement d'Acrobat eBook Reader (dont il sera question dans le chapitre suivant) se trouve en général sur la même page que celui d'Acrobat Reader (voir Figure 1.2).

- Cochez la case de l'étape 1 dans la Figure 1.3 pour ajouter des capacités de recherche avancées et la prise en charge de l'accessibilité à votre copie d'Acrobat Reader. Notez toutefois que cette option augmente la durée de téléchargement.

Installation d'Acrobat Reader

Le processus d'installation d'Acrobat Reader connaît plusieurs variantes, tout dépend de l'origine du module d'installation et du type du système d'exploitation. Tous les utilisateurs Windows et une bonne partie des utilisateurs Mac suivront une procédure *basée sur un disque*. Dans ce cas de figure, le module d'installation provient d'un CD-ROM ou est chargé sur le disque dur de l'utilisateur. Certains utilisateurs Mac suivront une procédure d'installation *basée sur le Web*. Elle consiste à charger un petit programme sur le site Web Adobe qui charge Acrobat Reader (voir plus loin la note "Origine de l'installation").

Installer Acrobat Reader (Windows)

1. Localisez l'icône d'installation d'Acrobat Reader et double-cliquez dessus pour lancer le processus d'installation.

2. L'écran Installation d'Acrobat Reader 5.0 (voir Figure 1.5) vous guidera dans le processus d'installation. Cliquez sur Suivant pour continuer.

3. Le programme sélectionne automatiquement un répertoire d'installation sur votre disque dur. Ce chemin d'installation par défaut est affiché dans la boîte de dialogue Sélection du dossier d'installation (voir Figure 1.6). Pour modifier le dossier de destination, cliquez sur le bouton Parcourir et sélectionnez le dossier qui vous intéresse. Si le dossier par défaut vous convient, cliquez directement sur Suivant.

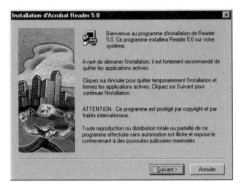

Figure 1.5
L'écran Installation d'Acrobat Reader 5.0 marque le début du processus d'installation.

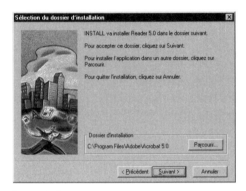

Figure 1.6
Le programme est installé dans l'emplacement par défaut à moins que vous ne sélectionniez un autre dossier.

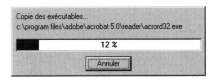

Figure 1.7
Vous pouvez observer la progression
de l'installation grâce à cette barre.

Figure 1.8
Affichez le dossier Acrobat Reader pour vous
assurer que l'installation s'est bien déroulée.

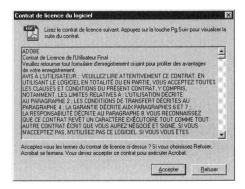

Figure 1.9
Vous devez accepter les conditions légales d'utilisation
avant de pouvoir utiliser le programme.

Acrobat Reader commence à s'installer. Une
barre vous permet de suivre la progression de
l'installation (voir Figure 1.7). Vous pouvez
interrompre le processus à tout moment en
cliquant sur Annuler.

4. Une fois que l'installation est terminée, une
boîte de dialogue vous demande si vous
souhaitez redémarrer Windows. Confirmez
cette option et cliquez sur Terminé. Le
programme d'installation se ferme et redé-
marre Windows.

5. Vérifiez qu'Acrobat Reader a été correctement installé en ouvrant son dossier de
destination (voir Figure 1.8). Vous devez
voir apparaître l'application AcroRd32, le
document RdrENU, le fichier LisezMoi et
plusieurs dossiers (ActiveX, Browser, Java-
scripts, Optional, plug_ins, SPPlugins, etc.).

La première fois que vous lancez Acrobat
Reader, les conditions légales d'utilisation
s'affichent (voir Figure 1.9). Vous devrez
les accepter avant de pouvoir utiliser le
programme.

Installer Acrobat Reader (Mac)

1. Localisez l'icône d'installation d'Acrobat Reader et double-cliquez dessus pour lancer le processus d'installation.

2. Lorsque l'écran principal s'affiche, cliquez sur le bouton Continuer (voir Figure 1.10).

   La fenêtre de l'installateur s'ouvre (voir Figure 1.11). L'option Installation standard est sélectionnée par défaut. Choisissez Installation personnalisée, cochez la case Acrobat Reader 5.0. Les options pour télécharger Acrobat Search (qui permet d'effectuer des recherches de texte sur les fichiers Acrobat indexés) et pour la prise en charge des langues asiatiques (pour lire les fichiers PDF en langues asiatiques avec leurs caractères d'origine) sont également disponibles. Cliquez sur le triangle à gauche de Fichiers langue asiatique pour étendre la liste des langues et sélectionner les fichiers dont vous avez besoin. (Si vous effectuez une installation basée sur le Web, le nombre de fichiers sélectionnés conditionnera la durée du téléchargement).

3. Sélectionnez le disque et le dossier dans lequel vous souhaitez installer le programme et cliquez sur Continuer. Si vous n'effectuez pas de modification, l'emplacement par défaut sera le niveau supérieur de votre disque de démarrage.

Figure 1.10
Lorsque l'écran principal s'affiche, cliquez sur le bouton Continuer.

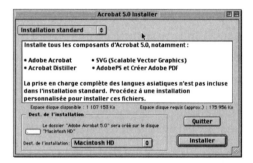

Figure 1.11
Le programme d'installation place Acrobat Reader au niveau racine du disque dur de votre Macintosh à moins que vous ne choisissiez un autre emplacement.

Figure 1.12
Une fois les fichiers téléchargés, vous revenez
à l'écran principal d'installation.

Une fois que les fichiers ont été téléchargés,
vous revenez à l'écran d'installation (voir
Figure 1.12). Vers la fin de l'installation, Acrobat vous demande de sélectionner le dossier
Netscape Communicator dans lequel vous
voulez installer le plug-in Acrobat Reader
(voir Figure 1.13).

Lorsque le processus est terminé, un message
de vérification de l'installation s'affiche.

4. Vérifiez que le programme a été correctement
installé en ouvrant son dossier d'installation
(voir Figure 1.14). Dans ce dossier, vous trouverez l'application Acrobat Reader 5.0, le
document LisezMoi.html, le fichier Journal
d'installation, quatre extensions et plusieurs
dossiers (Aide, Plug-Ins, Ressource, Javas-
cripts, Web Browser Plug-in et SPPlugins).

Figure 1.13
Si vous avez plus d'une copie de Netscape
Communicator sur votre disque dur, vous devrez
spécifier celle qui accueillera le plug-in Acrobat Reader.

Figure 1.14
Ouvrez le dossier Acrobat Reader 5.0 et
vérifiez que tous les éléments sont installés.

Origine de l'installation

Installations basées sur le Web :

Le programme d'installation d'Acrobat Reader tente de se connecter à Internet. On vous demandera de fermer les navigateurs ouverts avant de continuer. Un autre message d'avertissement vous recommandera de vérifier que la connexion est bien établie avant de cliquer sur le bouton Continuer. Le programme d'installation se rendra alors sur le site Web Adobe pour télécharger les fichiers requis (voir Figure 1.15).

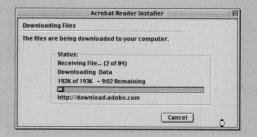

Figure 1.15
Le programme d'installation se connecte à Internet et charge les fichiers requis.

Installations basées sur un disque :

Si le programme d'installation dispose de tous les fichiers dont il a besoin, il ne se connecte pas à Internet. Il vous proposera alors d'aller vérifier sur le site Adobe s'il existe une version plus récente d'Acrobat Reader (voir Figure 1.16).

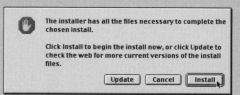

Figure 1.16
Le programme d'installation vous propose de consulter le site Adobe pour voir s'il existe une version plus récente du logiciel.

L'écran d'Acrobat Reader

Les outils affichés dans l'écran d'Acrobat Reader ne représentent qu'une petite partie des outils disponibles dans la version complète d'Acrobat (voir Figures 1.17 et 1.18). En revanche, dans Acrobat Reader, comme dans la version complète d'Acrobat 5.0, on trouve désormais une interface modulable et personnalisable. La plupart des éléments à l'écran peuvent être détachés de leur emplacement d'origine, déplacés, combinés en groupes ou masqués.

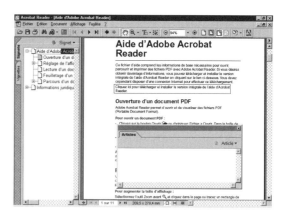

Figure 1.17
Ecran principal d'Acrobat Reader (Windows).

Palettes à onglet

Barres d'outils

Barre de menu

Menu du
panneau de
document

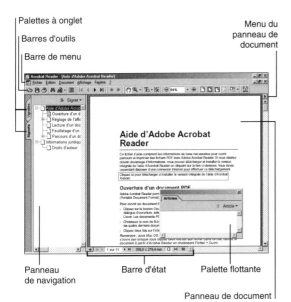

Panneau
de navigation

Barre d'état

Palette flottante

Panneau de document

Figure 1.18
Ecran principal d'Acrobat Reader.

La barre de menus se trouve au sommet de la fenêtre de l'application, elle contient des menus déroulants qui permettent d'accéder à toutes les commandes du programme. Sous la barre de menus se trouvent les barres d'outils qui permettent d'accéder rapidement aux commandes les plus courantes.

La fenêtre de document est divisée en deux panneaux. Le panneau de navigation dans la partie gauche de l'écran permet de se déplacer dans un document PDF. A droite se trouve le panneau de document qui contient le fichier lui-même. En cliquant sur la petite flèche orientée vers la droite dans le coin supérieur droit du panneau de document, on fait apparaître un menu qui offre des informations détaillées sur le document. On y trouve également un raccourci vers la boîte de dialogue Préférences. La barre d'état en bas du document résume les données relatives au document affiché et propose d'autres méthodes pour afficher les documents.

Enfin, vous trouverez également trois palettes qui constituent les éléments les plus souples de l'interface d'Acrobat Reader. Vous pouvez "ancrer" une palette au panneau de navigation (sous forme d'onglet) ou la positionner n'importe où sur l'écran (palette flottante). Vous pouvez également ancrer plusieurs palettes ensemble pour créer un groupe de palettes. Chaque palette possède son propre menu contextuel contenant des options qui lui sont propres.

Les barres d'outils

Ce qui ne semble être qu'une barre d'outils est en fait un ensemble de barres (Adobe Online, Outils de base, Fichier, Navigation, Historique de l'affichage et Affichage) qu'il est possible de masquer ou d'afficher (voir Figure 1.19). Il est possible de réorganiser les barres d'outils en fonction de vos besoins.

Figure 1.19
Les barres d'outils permettent d'accéder rapidement aux commandes les plus fréquemment utilisées.

Les barres d'outils (voir Figures 1.20 à 1.25) sont simples à utiliser. Il suffit de cliquer sur le bouton correspondant à l'outil que l'on souhaite utiliser. Pour envoyer un fichier à l'imprimante, par exemple, cliquez sur le bouton Imprimer pour ouvrir la boîte de dialogue Imprimer.

Si la disposition des barres d'outils ne vous plaît pas, modifiez-la.

Figure 1.20
La barre d'outils Fichier.

Figure 1.21
La barre d'outils Navigation.

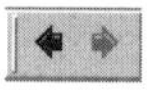

Figure 1.22
La barre d'outils Historique de l'affichage.

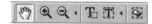

Figure 1.23
La barre d'outils Outils de base.

Figure 1.24
La barre d'outils Affichage.

Figure 1.25
La barre d'outils Adobe Online.

Modifier l'ordre des barres d'outils

1. Placez le pointeur de la souris sur la barre de séparation verticale à gauche du groupe que vous souhaitez déplacer, et maintenez le bouton de la souris enfoncé (voir Figure 1.26).

2. Faire glisser la barre vers le nouvel emplacement (voir Figure 1.27). Relâchez le bouton de la souris lorsque vous avez atteint votre destination (voir Figure 1.28). Si vous lâchez une barre par-dessus une autre, celle qui se trouve en dessous se décale pour laisser la place à la nouvelle venue.

Figure 1.26
La barre de séparation est la petite barre verticale qui se trouve à gauche de chaque barre d'outils.

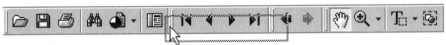

Figure 1.27
Faites glisser les barres d'outils en les saisissant par la barre de séparation.

Figure 1.28
Nouvelle organisation des barres d'outils.

Masquer et afficher les barres d'outils individuellement

Il existe deux méthodes pour afficher ou masquer individuellement une barre d'outils.

1. Choisissez Barre d'outils dans le menu Fenêtre. Un sous-menu s'affiche et présente la liste de toutes les barres d'outils disponibles (voir Figure 1.29). Les barres d'outils affichées sont marquées d'une coche.

2. Pour masquer une barre d'outils, cochez la case correspondant à son nom dans le menu Barre d'outils. Pour afficher une barre d'outils masquée, cliquez sur son nom dans le menu.

    ou

    Effectuez un clic droit (Windows) ou un Ctrl + clic (Mac) sur n'importe quelle barre d'outil. Un menu contextuel s'affiche et présente toutes les barres d'outils (voir Figure 1.30).

3. Cliquez sur un nom avec une coche pour masquer une barre d'outils et cliquez sur un nom sans coche pour l'afficher.

Les coches apparaissent ou disparaissent du menu contextuel ou du menu Barre d'outils lorsque vous masquez ou affichez les barres.

ⓖ Astuce

Appuyez sur la touche F8 pour masquer ou afficher rapidement toutes les barres d'outils en une seule fois.

Autres astuces relatives aux barres d'outils

Non seulement il est possible de réorganiser l'ordre des barres d'outils, mais vous pouvez

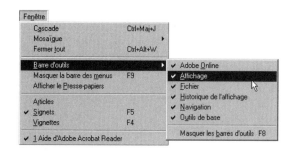

Figure 1.29
Le sous-menu Barre d'outils montre les barres d'outils affichées.

Figure 1.30
Affichage du menu contextuel Barre d'outils grâce à un clic droit ou à un Ctrl + clic sur n'importe quelle barre d'outils.

Figure 1.31
La barre d'outils change de forme lorsque vous la faites glisser hors de sa position d'origine.

Figure 1.32
Lâchez la barre d'outils sur sa nouvelle position.

Figure 1.33
Faites glisser la barre d'outils par-dessus une autre pour les grouper.

Figure 1.34
La barre d'outils reconfigurée.

Figure 1.35
Menu contextuel de la barre d'outils flottante.

également les placer n'importe où sur l'écran. Lorsqu'elles sont situées hors de leur emplacement habituel, les barres d'outils peuvent prendre des orientations différentes. Les boutons des barres peuvent, par exemple, être empilés verticalement au lieu d'être empilés horizontalement. De plus, ils peuvent être réorganisés en une ou deux colonnes.

Déplacer une barre d'outils vers un autre emplacement

1. Placez le pointeur de la souris sur la barre de séparation de la barre d'outils que vous souhaitez déplacer. Appuyez sur le bouton de la souris et maintenez-le enfoncé.

2. Faites glisser la barre d'outils hors de son emplacement habituel (voir Figure 1.31).

3. Une fois que vous avez placé la barre d'outils là où vous le souhaitez, relâchez le bouton de la souris (voir Figure 1.32).

Pour ramener une barre d'outils à sa position d'origine, suivez la procédure inverse.

ⓖ Astuce

Vous pouvez créer votre propre groupe personnalisé de barres d'outils en faisant glisser une barre d'outils par-dessus une autre (voir Figures 1.33 et 1.34). Pour supprimer une barre d'outils d'un groupe, faites-la glisser en la saisissant par la barre de déplacement.

Changer l'orientation d'une barre d'outils

1. Effectuez un clic droit (Windows) ou un Ctrl + clic (Mac) n'importe où sur une barre d'outils flottante. Un menu contextuel s'affiche (voir Figure 1.35). Vous remarquerez la coche à côté de l'option Deux colonnes.

2. Choisissez une des deux options pour modifier l'orientation de la barre d'outils. L'option Une colonne permet d'étendre la barre verticalement (voir Figure 1.36) et Horizontale l'étend horizontalement (voir Figure 1.37).

⊚ Astuces

• La réorientation ne fonctionne qu'avec les barres d'outils flottantes.

• Vous souhaitez connaître la fonction d'un bouton donné ? Placez le pointeur de la souris sur ce bouton une seconde ou deux pour faire apparaître une info-bulle qui affichera le nom de l'outil (voir Figure 1.38). Si cet outil peut également être activé par un raccourci clavier, ce raccourci apparaît entre parenthèses à côté du nom de l'outil dans l'info-bulle.

Afficher et masquer les boutons de barre d'outils "masqués"

Dans certaines barres d'outils, des boutons sont masqués. Pour afficher ces commandes masquées, il faut utiliser le bouton Plus d'outils. Il s'agit du petit bouton en forme de flèche orientée vers le bas qui se trouve à gauche de certaines barres d'outils (voir Figure 1.39).

Figure 1.36
Cette barre d'outils utilise l'option Une colonne.

Figure 1.37
Barre d'outils horizontale.

Figure 1.38
Une info-bulle apparaît pour identifier l'outil sur lequel se trouve la souris.

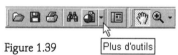

Figure 1.39
Le bouton Plus d'outils indique que des outils supplémentaires sont masqués sous le bouton.

Figure 1.40

Le menu Plus d'outils permet d'afficher
tous les outils dans la barre d'outils.

Figure 1.41

La barre d'outils après avoir cliqué
sur la commande Développer.

Figure 1.42

Cliquez sur le bouton Réduire pour masquer
les outils additionnels.

Figure 1.43

La barre d'outils a repris sa forme initiale.

I. Cliquez sur le bouton Plus d'outils pour faire
apparaître dans un menu les commandes
masquées d'une barre d'outils (voir
Figure 1.40). Choisissez un élément du menu
pour activer la commande correspondante.

2. Choisissez Développer en bas du menu Plus
d'outils pour ajouter les commandes
masquées à la barre d'outils (voir
Figure 1.41).

Le bouton Plus d'outils se transforme en
bouton Réduire représenté par une petite
flèche orientée vers la gauche.

Pour masquer les boutons supplémentaires
d'une barre d'outils, cliquez sur le bouton
Réduire (voir Figure 1.42). La barre d'outils
reprend sa forme par défaut (voir Figure 1.43).

Les menus

Les menus d'Acrobat Reader (Fichier, Edition, Document, Outils, Affichage, Fenêtre et Aide) se trouvent tous dans la barre de menus située en haut de la fenêtre de l'application (voir Figures 1.44 à 1.51). Pour accéder aux commandes d'un menu, cliquez sur le menu et placez la souris sur la commande que vous souhaitez utiliser.

⊚ Astuce

Appuyez sur la touche F9 pour afficher ou masquer la barre de menus.

Figure 1.44
Le menu Fichier propose des commandes qui permettent de gérer les documents PDF.

Figure 1.45
Le menu Edition contient les commandes basiques de sélection et de modification, ainsi que des commandes qui permettent de rechercher du texte dans un document. C'est également là que se trouvent les commandes Préférences.

Figure 1.46
Le menu Document offre des commandes qui permettent de naviguer dans un document, et de passer d'un document à un autre.

Figure 1.47
Le menu Outils ne contient que deux éléments liés aux services Acrobat basés sur le Web.

Figure 1.48
Le menu Affichage permet de personnaliser l'affichage des documents PDF.

Figure 1.49
Les commandes du menu Fenêtre permettent de choisir la disposition des fenêtres à l'écran et de choisir les éléments d'interface que l'on souhaite faire apparaître.

Figure 1.50
Le menu Aide (?) propose des liens vers différentes sources d'informations sur Acrobat Reader et ses plug-in.

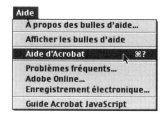

Figure 1.51
Le menu Aide pour Macintosh offre un accès aux systèmes d'aide en ligne et hors ligne.

Les palettes

Les trois palettes disponibles dans Acrobat Reader (Signets, Vignettes et Articles) sont des petites fenêtres qui facilitent la navigation dans les documents PDF (voir Figure 1.52). Les palettes peuvent être déplacées, redimensionnées et groupées. Elles peuvent être ancrées dans le panneau de navigation ou flotter librement dans le panneau de document (on parle alors de palette flottante). Les palettes ancrées disposent d'étiquettes orientées verticalement. Si plusieurs palettes sont ancrées, seul le contenu de la palette placée par-dessus les autres est visible. Des autres palettes, on ne voit que les onglets.

Par défaut, les palettes Signets et Vignettes sont ancrées au panneau de navigation et la palette Articles est masquée. Si vous affichez la palette Articles en choisissant Fenêtre > Articles, vous constatez que par défaut, elle est positionnée comme une palette flottante. Vous pouvez déplacer toutes les palettes où bon vous semble en les faisant glisser par leur onglet. Vous pouvez également grouper les palettes flottantes en fenêtres flottantes.

Figure 1.52
Les différentes palettes facilitent la navigation dans les documents PDF.

Afficher ou masquer le panneau de navigation

1. Si le panneau de navigation est masqué, cliquez sur le bouton Afficher/Masquer le navigateur dans la barre d'outils Fichier.

   ou

   Cliquez sur la bordure gauche du panneau Document.

   ou

   Cliquez sur le bouton du panneau de navigation dans la barre d'état (voir Figure 1.53). Le panneau de navigation s'ouvre (voir Figure 1.54).

2. Pour masquer le panneau de navigation, utilisez à nouveau une de ces techniques.

Afficher ou masquer une palette

1. Pour afficher une palette, choisissez-la dans le menu Fenêtre. Une coche apparaît alors à côté de son nom.

2. Pour masquer une palette choisissez son nom dans le menu Fenêtre. (La coche disparaît).

   ou

   Cliquez sur le bouton de fermeture dans le coin supérieur droit de la palette flottante (voir Figure 1.52).

⊚ Astuces

- Pour afficher ou masquer la palette Vignettes, appuyez sur F4.
- Pour afficher ou masquer la palette Signets, appuyez sur F5.

Figure 1.53
Cliquez sur le bouton de la barre d'outils Fichier pour afficher ou masquer le panneau de navigation.

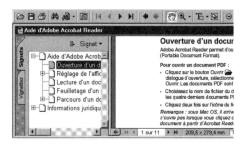

Figure 1.54
Le panneau s'ouvre et affiche les palettes Signets et Vignettes.

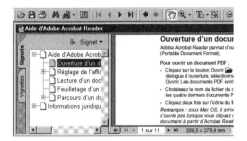

Figure 1.55
Cliquez sur l'onglet de la palette...

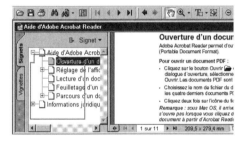

Figure 1.56
... et faites glisser la palette hors du panneau.

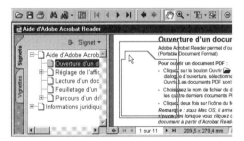

Figure 1.57
Faites glisser la palette sur le panneau
de document.

Convertir une palette à onglet en palette flottante

1. Placez le pointeur de la souris sur l'onglet de la palette (voir Figure 1.55) et appuyez sur le bouton de la souris.

2. Faites glisser la palette hors du panneau de navigation. Le contour de la palette apparaît en pointillé et son orientation devient horizontale (voir Figure 1.56).

   Une fois que la palette est au-dessus du panneau de document, elle acquiert un second contour rectangulaire (voir Figure 1.57). La palette est sur le point de se transformer en palette flottante.

3. Relâchez le bouton de la souris. La palette devient flottante (voir Figure 1.58).

Pour convertir une palette flottante en palette à onglet, suivez le processus inverse.

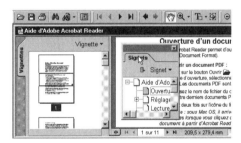

Figure 1.58
Lorsque vous relâchez le bouton de la souris,
la palette se transforme en palette flottante.

Créer un groupe de palettes personnalisé

1. Placez le pointeur de la souris sur l'onglet de la palette que vous souhaitez ajouter au groupe (voir Figure 1.59), appuyez sur le bouton de la souris et gardez-le enfoncé.

2. Faites glisser la palette hors de la fenêtre flottante (voir Figure 1.60).

3. Continuez à faire glisser la palette et placez-la sur une autre palette avec laquelle vous voulez créer un groupe. Une bordure bleue apparaît dans la fenêtre (voir Figure 1.61).

4. Relâchez le bouton de la souris. La palette se positionne automatiquement dans la fenêtre et se place sous les autres palettes présentes (voir Figure 1.62).

Pour supprimer une palette d'un groupe personnalisé, faites-la glisser hors de la fenêtre flottante en la saisissant par son onglet.

⑥ Astuces

- Vous pouvez faire glisser n'importe quelle palette dans un groupe, qu'il s'agisse d'une palette flottante ou d'une palette à onglet.

- Pour réduire la fenêtre d'une palette flottante, double-cliquez sur un onglet ou sur la barre bleue de la fenêtre (voir Figure 1.63). Double-cliquez à nouveau pour restaurer la taille de la fenêtre.

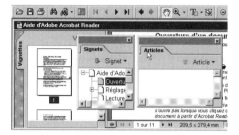

Figure 1.59
Cliquez sur l'onglet de la palette...

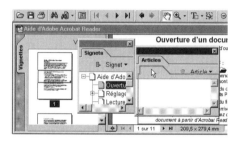

Figure 1.60
... et faites-la glisser hors de la fenêtre.

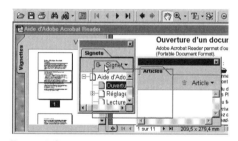

Figure 1.61
Faites glisser la palette sur celle avec laquelle vous souhaitez créer un groupe.

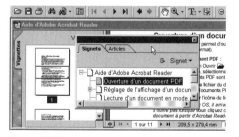

Figure 1.62
Une nouvelle palette personnalisée est créée.

Figure 1.63
Double-cliquez sur une palette flottante
pour réduire sa taille.

Figure 1.64
La barre d'état contient des contrôles de navigation.

Figure 1.65
Choisissez le document à ouvrir dans la boîte
de dialogue Ouvrir.

Figure 1.66
Double-cliquez sur le nom d'un fichier
pour le sélectionner et l'ouvrir.

La barre d'état

La barre d'état se trouve dans la partie inférieure
de l'application (voir Figure 1.64). Elle contient
aussi des contrôles qui facilitent la navigation
dans les documents PDF. Ces contrôles sont placés de façon idéale puisque lors de la lecture
d'une page, il n'est pas nécessaire de faire traver-
ser la page à la souris pour accéder aux contrôles
nécessaires à la navigation.

Ouverture d'un fichier PDF

Pour consulter un document, vous devez
d'abord l'ouvrir. Cette procédure est semblable à
celle utilisée dans de nombreuses autres applications.

Ouvrir un document PDF existant

- Choisissez Ouvrir dans le menu Fichier
  (Ctrl + O / Cmd + O), sélectionnez le document PDF qui vous intéresse et cliquez sur le
  bouton Ouvrir (voir Figure 1.65).

  ou

- Double-cliquez sur l'icône d'un fichier PDF
  dans l'Explorateur Windows ou dans le Finder
  Macintosh (voir Figure 1.66).

  ou

- Faites glisser l'icône d'un fichier PDF sur
  l'icône Acrobat Reader sur votre bureau.

Fermer un fichier PDF

- Choisissez Fermer dans le menu Fichier
  (Ctrl + W / Cmd + W).

  ou

- Sur un PC, cliquez sur le bouton de fermeture
  dans le coin supérieur droit de la fenêtre du
  document.

  ou

- Sur un Macintosh, cliquez sur le bouton de fermeture dans le coin supérieur gauche de la
  fenêtre du document.

① Info

Macintosh uniquement : Parfois, lors du téléchargement d'un document PDF depuis Internet,
le fichier peut perdre ses codes créateur et typo-
graphique, des fonctions cachées qui indiquent
à Mac OS quel programme utiliser lors de
l'ouverture d'un fichier. Si cela se produit avec
un fichier Acrobat, il peut apparaître sur votre
bureau sans icône ou sous forme de fichier en
texte brut (voir Figure 1.67). Il est également
possible qu'il n'apparaisse pas dans la boîte
de dialogue Ouvrir.

Dans ce cas, il faut utiliser le menu Afficher (voir
Figure 1.68). Choisissez Tous les fichiers et tous
les fichiers apparaîtront qu'ils soient identifiés
comme appartenant à Acrobat ou non. Il sera
alors possible d'ouvrir le fichier non identifié.

Affichage d'un fichier PDF

Acrobat Reader propose quelques options générales pour afficher les fichiers PDF. Vous pouvez
afficher le document lui-même sans barre
d'outils ni menus et vous pouvez choisir entre
un affichage multi-page ou page unique.

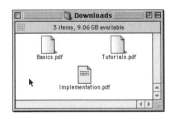

Figure 1.67
Un fichier PDF téléchargé peut apparaître
comme un simple fichier texte et son
ouverture peut être un peu plus compliquée.

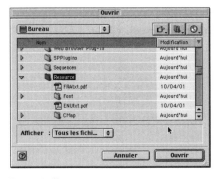

Figure 1.68
Choisissez Tous les fichiers dans la boîte de dialogue
Ouvrir pour afficher les fichiers Acrobat non identifiés.

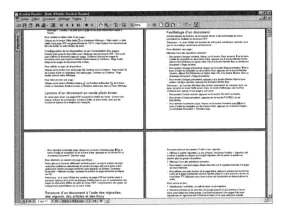

Figure 1.69
Le mode Continue – Page double affiche les pages
deux par deux les unes à la suite des autres.

Afficher du document uniquement

1. Choisissez Plein écran dans le menu Affichage (Ctrl + L / Cmd + L).

   En dehors du document, tous les éléments sont masqués, y compris la barre de menus et les fenêtres des autres applications.

2. Pour quitter le mode Plein écran, appuyez sur la touche Echap (ou Ctrl + L / Cmd + L). Le document est affiché tel qu'il était avant de passer en mode Plein écran.

Afficher une seule page

- Choisissez Une seule page dans le menu Affichage ou cliquez sur le bouton du même nom dans la barre d'état.

  Les pages seront affichées une par une dans le panneau de document.

Afficher les pages en continu

- Choisissez Continue dans le menu Affichage ou cliquez sur le bouton du même nom dans la barre d'état.

  Les pages seront affichées successivement et horizontalement dans le panneau de document.

Afficher les double pages en continu

- Choisissez Continue – Page double dans le menu Affichage ou cliquez sur le bouton du même nom dans la barre d'état.

  Les pages seront affichées deux par deux les unes à la suite des autres dans le panneau de document (voir Figure 1.69).

⊚ Astuces

- Vous pouvez configurer les options de navigation en mode Plein écran dans la zone Plein écran de la boîte de dialogue Préférences.

- L'option A chaque clic est très utile lorsque vous effectuez une présentation en mode Plein écran. Vous pouvez toujours utiliser les touches Flèche gauche ou Page précédente si vous avez besoin de revenir en arrière.

Utilisation du zoom

Au cours de certaines tâches, il est parfois très pratique de consulter une page entière, mais la lisibilité du document en pâtira. Heureusement, Acrobat Reader propose de nombreuses options de zoom qui permettent d'afficher rapidement une partie d'un document, puis de revenir à l'affichage de la page entière. Les commandes Zoom avant et Zoom arrière agrandissent ou réduisent la taille du document tout en conservant le centrage de la page.

Zoomer en avant sur un document

- Cliquez sur le bouton Zoom avant dans la barre d'outils Affichage.

  ou

- Choisissez Zoom avant dans le menu Affichage (Ctrl + "+" / Cmd + "+").

Zoomer en arrière sur un document

- Cliquez sur le bouton Zoom arrière dans la barre d'outils Affichage.

  ou

- Choisissez Zoom arrière dans le menu Affichage (Ctrl + "+" / Cmd + "+").

Figure 1.70
Cliquez sur le bouton Zoom pour agrandir
l'affichage du document.

> ne soit pas entièrement visible à l'écran.
>
> • Pour que le texte et les images de la page tiennent dans la fenêtre, choisissez Affichage > Contenu. Il se peut que la page ne soit pas entièrement visible à l'écran.
>
> **Pour rétablir la taille réelle d'une page :**
> Cliquez sur le bouton Taille réelle 🗋 ou choisissez Affichage > Taille réelle. La taille réelle d'une page PDF est généralement de 100 %, mais l'auteur d'un document est libre de choisir un autre facteur de zoom.
>
> **Configuration de la disposition et de l'orientation des pages**

Figure 1.71
Faites glisser une zone de sélection avec
l'outil Zoom pour définir la zone à agrandir.

Figure 1.72
Le signe – (moins) est caractéristique
de l'outil Zoom arrière.

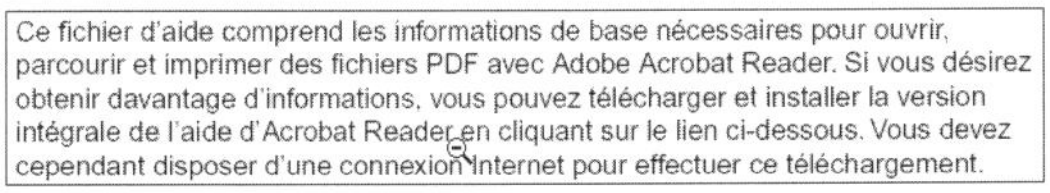

> Ce fichier d'aide comprend les informations de base nécessaires pour ouvrir, parcourir et imprimer des fichiers PDF avec Adobe Acrobat Reader. Si vous désirez obtenir davantage d'informations, vous pouvez télécharger et installer la version intégrale de l'aide d'Acrobat Reader en cliquant sur le lien ci-dessous. Vous devez cependant disposer d'une connexion Internet pour effectuer ce téléchargement.

Figure 1.73
Cliquez sur le document en appuyant
sur la touche Ctrl/Option...

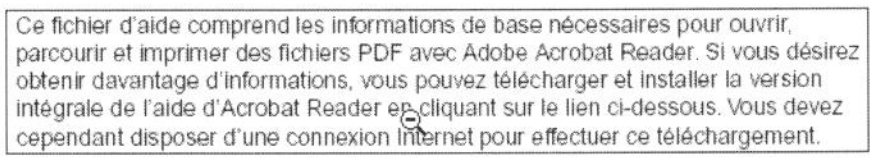

> Ce fichier d'aide comprend les informations de base nécessaires pour ouvrir, parcourir et imprimer des fichiers PDF avec Adobe Acrobat Reader. Si vous désirez obtenir davantage d'informations, vous pouvez télécharger et installer la version intégrale de l'aide d'Acrobat Reader en cliquant sur le lien ci-dessous. Vous devez cependant disposer d'une connexion Internet pour effectuer ce téléchargement.

Figure 1.74
... pour passer au niveau de zoom inférieur.

Zoomer sur une zone spécifique

1. Cliquez sur le bouton Zoom avant de la barre d'outils (voir Figure 1.70).

   ou

   Appuyez sur la touche Z.

2. Cliquez sur la zone du document sur laquelle vous souhaitez zoomer. Lorsque vous relâchez le bouton de la souris, l'affichage zoome sur le point sélectionné.

Définir le cadre de la zone de zoom

1. Cliquez sur le bouton Zoom avant dans la barre d'outils.

2. Faites glisser la souris pour dessiner une zone de sélection (un rectangle en pointillé) autour de la zone sur laquelle vous souhaitez zoomer (voir Figure 1.71). Lorsque vous relâchez le bouton de la souris, l'affichage zoome sur la zone que vous avez sélectionnée.

Effectuer un zoom arrière sur un document en utilisant l'outil Zoom

1. Cliquez sur le bouton Zoom avant de la barre d'outils.

2. Appuyez sur Ctrl (Windows) ou sur Option (Mac). Au centre du curseur en forme de loupe apparaît un signe – (moins) comme dans la Figure 1.72.

3. Tout en appuyant sur la touche Ctrl/Option, cliquez sur le document (voir Figure 1.73).

   Le niveau de zoom se réduit par paliers en passant, par exemple de 100 % à 125 % (voir Figure 1.74).

⊚ Astuces

- Appuyez sur la touche Majuscule et sur Z pour passer de l'outil Zoom avant à l'outil Zoom arrière.

- Lorsque l'outil Zoom est activé, effectuez un clic droit (Windows) ou un Ctrl + clic (Mac) pour faire apparaître un menu contextuel avec différents niveaux de zoom prédéfinis (voir Figure 1.75).

Figure 1.75
Le menu contextuel de zoom.

Utiliser l'outil Zoom de la barre d'outils Affichage

- Cliquez sur l'indicateur de niveau de zoom dans la barre d'outils (voir Figure 1.76) et sélectionnez un niveau de zoom prédéfini dans le menu qui apparaît.

  Le document s'affichera avec le niveau de zoom que vous aurez sélectionné.

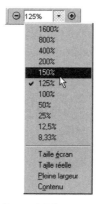

Afficher un document avec un niveau de zoom spécifique

1. Sélectionnez Zoom avant dans le menu Affichage ou appuyez sur Ctrl + M (Windows) ou sur Cmd + M (Mac). La boîte de dialogue Zoom s'affiche (voir Figure 1.77).

2. Dans la zone de texte, tapez le facteur de zoom que vous souhaitez utiliser et cliquez sur OK. Le document sera affiché avec le facteur de zoom que vous aurez sélectionné.

⊚ Astuces

Vous pouvez également zoomer avec un niveau d'agrandissement proportionnel au document ou à la taille de la fenêtre.

Figure 1.76
Le menu Zoom propose une liste de niveaux de zoom.

Figure 1.77
Entrez le facteur de zoom que vous souhaitez utiliser dans la boîte de dialogue Zoom.

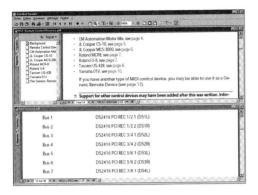

Figure 1.78
La mosaïque horizontale empile les documents
les uns par-dessus les autres.

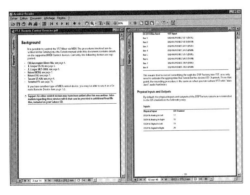

Figure 1.79
La mosaïque verticale affiche latéralement
tous les documents côte à côte.

- **Taille réelle** (Ctrl + 1 / Cmd + 1) affiche le document avec un facteur de zoom de 100 %.
- **Taille écran** (Ctrl + 0 / Cmd + 0) redimensionne le document de manière que ses bords tiennent dans la fenêtre du document.
- **Pleine largeur** (Ctrl + 2 / Cmd + 2) redimensionne le document de manière qu'il occupe la largeur maximale de la fenêtre.
- **Contenu** (Ctrl + 3 / Cmd + 3) redimensionne la page de manière à ce que son contenu occupe l'espace maximal sans tenir compte des marges blanches qui l'entourent.

Organisation de plusieurs fenêtres

L'écran de votre ordinateur s'encombrera rapidement si plusieurs documents PDF sont ouverts simultanément. Heureusement, Acrobat Reader propose des fonctions qui permettent d'organiser automatiquement vos documents.

Afficher tous les documents ouverts

- Choisissez Fenêtre > Mosaïque > Vertical (Ctrl + Maj + K / Cmd + Maj + K) ou Fenêtre > Mosaïque > Vertical (Ctrl + Maj + L / Cmd + Maj + L).

  La mosaïque horizontale affiche les fenêtres par empilement (voir Figure 1.78).

  La mosaïque verticale affiche les fenêtres côte à côte latéralement (voir Figure 1.79).

Amener la fenêtre active au premier plan

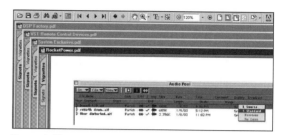

Figure 1.80
Le mode Cascade empile tous les documents ouverts. Le document actif se trouve au sommet de cette pile.

- Choisissez Cascade dans le menu Fenêtre (Ctrl + Maj + J / Cmd + Maj + J).

  Le document actif (sélectionné) apparaît au sommet de la pile. A l'arrière-plan, les barres de titre de tous les documents ouverts s'affichent en cascade (voir Figure 1.80).

Fermer tous les documents ouverts simultanément

- Choisissez Fermer tout dans le menu Fenêtre (Ctrl + Alt + W / Option + Cmd + W).

  ou

- Faites Alt + clic / Option + clic sur le bouton de fermeture de n'importe quel document ouvert. Tous les documents ouverts se ferment simultanément.

Comme Acrobat Reader ne permet pas de modifier les documents, on ne vous demandera jamais si vous souhaitez enregistrer les modifications. Lorsque vous fermez un fichier, le programme se contente de le faire disparaître de l'écran.

Navigation dans un document

Se déplacer vers le haut ou vers le bas dans une page

- Appuyez sur les touches Flèche haut ou Flèche bas.

  ou

- Cliquez sur les barres de défilement situées à droite et en bas de la fenêtre du document.

Déplacer une page

1. Sélectionnez l'outil Main dans la barre d'outils Outils de base (ou appuyez sur la touche H).

2. Appuyez sur le bouton de la souris et faites glisser la page pour la repositionner.

   Relâchez le bouton de la souris pour placer la page dans sa nouvelle position.

ⓖ Astuce

Pour activer l'outil Main de façon temporaire, appuyez sur la barre d'espace. Lorsque vous avez fini de déplacer la page, relâchez la barre d'espace pour réactiver l'outil précédent.

Déplacement entre les pages d'un document

Atteindre la page suivante

- Appuyez sur la touche Page suivante ou la touche Flèche droite.

  ou

- Choisissez Page suivante dans le menu Document.

  ou

- Cliquez sur le bouton Page suivante dans la barre d'outils Navigation ou dans la barre d'état.

Atteindre la page précédente

- Appuyez sur la touche Page précédente ou la touche Flèche droite.

  ou

- Choisissez Page précédente dans le menu Document.

  ou

- Cliquez sur le bouton Page précédente dans la barre d'outils Navigation ou dans la barre d'état.

Atteindre une page donnée

1. Choisissez Atteindre la page dans le menu Document (Ctrl + N / Cmd + N). La boîte de dialogue Atteindre la page s'affiche (voir Figure 1.81).

2. Dans le champ Page, tapez le numéro de la page que vous souhaitez atteindre et cliquez sur OK.

  ou

1. Cliquez dans le champ de page courante dans la barre d'état pour sélectionner son contenu.

2. Appuyez sur la touche Retour arrière (Windows) ou Delete (Mac). Tapez le nombre correspondant à la page que vous souhaitez atteindre et appuyez la touche Entrée ou Retour (voir Figure 1.83).

Atteindre la première page

- Appuyez sur la touche Origine (Home).

  ou

- Choisissez Première page dans le menu Document (Ctrl + Maj + Page précédente / Cmd + Maj + Page précédente).

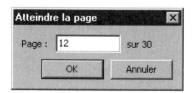

Figure 1.81
La boîte de dialogue Atteindre la page permet d'afficher instantanément n'importe quelle page.

Figure 1.82
Sélectionnez le numéro de page dans l'indicateur de page courante.

Figure 1.83
Tapez le numéro de la page que vous souhaitez atteindre.

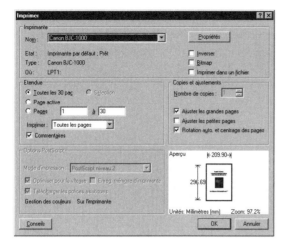

Figure 1.84
La boîte de dialogue Imprimer permet de configurer
un certain nombre de paramètres d'impression.

ou

- Cliquez sur le bouton Première page dans la
barre d'outils Navigation ou dans la barre
d'état.

Atteindre la dernière page

- Appuyez sur la touche Fin.

    ou

- Choisissez Dernière page dans le menu
Document (Ctrl + Maj + Page suivante / Cmd
+ Maj + Page suivante).

    ou

- Cliquez sur le bouton Dernière page dans la
barre d'outils Navigation ou dans la barre
d'état.

Impression d'un document PDF

Vous pouvez imprimer un fichier PDF depuis
Acrobat Reader comme vous le feriez pour
n'importe quel autre document.

Imprimer un document depuis Acrobat Reader

1. Choisissez Imprimer dans le menu Fichier,
cliquez sur le bouton Imprimer dans la barre
d'outils Fichier ou appuyez sur Ctrl + P. La
boîte de dialogue Imprimer s'affiche.

2. Si nécessaire, indiquez le nombre de copies
que vous souhaitez imprimer (voir
Figure 1.84).

3. Si vous ne souhaitez pas imprimer l'intégralité du document, sélectionnez une plage de
   pages (en indiquant les numéros de la
   première et de la dernière page à imprimer)
   dans le champ approprié de la boîte de dialogue Imprimer.

4. Cliquez sur OK (Windows) ou sur Imprimer
   (Mac) pour envoyer le document à l'imprimante. Cliquez sur Annuler pour revenir au
   document sans rien imprimer.

ⓘ Info

L'aspect de la boîte de dialogue Imprimer peut
varier. Son apparence dépend du système
d'exploitation et du pilote d'impression utilisé,
mais la plupart des options restent les mêmes. Si
vous utilisez un pilote LaserWriter sur un Macintosh, vous devrez sélectionner "Acrobat 5.0"
dans le menu contextuel pour afficher ces
options.

Acrobat Reader : fonctions avancées

Maintenant que vous avez découvert les bases d'Acrobat Reader, il est temps de se pencher sur les fonctions avancées qui font de ce programme l'outil idéal pour afficher et consulter des documents.

Vous allez apprendre comment effectuer une recherche sur une chaîne de texte, comment copier du texte ou une image et comment modifier les nombreux paramètres de préférence d'Acrobat Reader.

Ce chapitre vous présentera les fonctions avancées de ce logiciel.

Consultation des propriétés d'un document

Différentes informations sont associées à chaque document PDF, lesquelles sont connues sous le nom de propriétés du document. Elles indiquent la date de création du document, l'application utilisée pour sa création ou la date de sa dernière modification. Contrairement à ce qui est indiqué dans l'aide, il n'est pas possible de modifier les propriétés d'un document PDF dans Acrobat Reader.

Les propriétés d'un document sont groupées en trois catégories : le résumé, les polices et la protection.

Consulter le résumé du document courant

1. Choisissez Fichier > Propriétés du document > Résumé.

   ou

   Appuyez sur Ctrl + D (Windows) ou Cmd + D (Mac).

   ou

   Choisissez Résumé du document dans le menu du panneau de document (voir Figure 2.1).

   La boîte de dialogue Résumé du document s'ouvre (voir Figure 2.2). Elle affiche différentes informations et contient cinq champs de texte : Titre, Sujet, Auteur, Mots clés et Reliure. Ces champs ne peuvent être modifiés que dans Acrobat, et non dans Acrobat Reader.

2. Pour fermer la boîte de dialogue, cliquez sur OK ou sur Annuler.

Figure 2.1
Choisissez Résumé du document dans le menu du panneau de document.

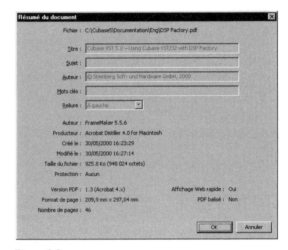

Figure 2.2
La boîte de dialogue Résumé du document affiche des informations sur le document actif.

Résumé du document

Pour l'essentiel, le résumé du document contient des informations sur l'origine du fichier PDF avec des détails tels que le titre, la date de création, le logiciel utilisé pour créer le document d'origine, le sujet du document et ses mots clés (si l'auteur les a définis).

- **Fichier** montre le nom du fichier et son chemin (son emplacement sur l'ordinateur).

- **Titre** affiche le titre du document qui n'est pas nécessairement son nom de fichier.

- **Sujet** décrit le sujet du document. Ce champ doit être rempli par l'auteur du fichier PDF.

- **Auteur** contient le nom de l'auteur du fichier (Acrobat complète automatiquement ce champ).

- **Mots clés** affiche les termes qui peuvent être utilisés pour une recherche. Ils sont définis par l'auteur du fichier PDF.

- **Reliure** affecte l'affichage des pages en mode Continue – Double page. Les fichiers PDF en langue occidentale disposent d'une reliure à gauche, tandis que des fichiers en langue écrite de droite à gauche, comme l'Hébreu auront une reliure à droite.

- **Auteur** désigne l'application utilisée pour créer le document d'origine.

- **Producteur** désigne le logiciel utilisé pour convertir le document d'origine en fichier PDF.

- **Créé le** désigne la date de création du fichier PDF.

- **Modifié le** désigne la dernière date de modification du fichier PDF.

- **Taille du fichier** représente la taille du fichier PDF, elle peut changer suite à une modification ou à une optimisation du fichier.

- **Protection** désigne les options de sécurité qui ont été activées pour ce fichier PDF. Cette demande de mot de passe peut concerner la modification du document, son impression, la copie de son contenu, l'insertion de commentaires, le remplissage des champs de formulaires ou la signature du document.

- **Version PDF** correspond au numéro de version du logiciel utilisé pour générer le document PDF.

- **Affichage rapide Web** se réfère à la capacité d'Acrobat 5 à structurer les fichiers PDF de manière qu'ils puissent être lus page par page avec un navigateur Web et le plug-in Acrobat Reader. Si la valeur de cette option est Non, la totalité du fichier devra être chargée avant de pouvoir l'afficher.

- **Format de page** donne les dimensions d'impression du fichier PDF en millimètres.

- **PDF balisé** permet de savoir si le fichier a été "balisé". Un document PDF balisé conserve des informations sur sa structure qui simplifient l'adaptation du fichier à d'autres médias.

- **Nombre de pages** indique le nombre de pages du document PDF.

Déterminer la police utilisée dans un document PDF

1. Choisissez Fichier > Propriétés du document > Polices (Ctrl + Alt + F / Cmd + Option + F) ou choisissez Polices du document dans le menu du panneau de document.

   Une liste de toutes les polices utilisées jusqu'à la page active s'affiche dans le panneau Polices du document (voir Figure 2.3).

2. Cliquez sur le bouton Liste des polices pour afficher la liste des polices dans l'intégralité du document (voir Figure 2.4).

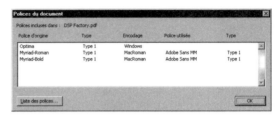

Figure 2.3
La fenêtre Polices du document contient la liste de base des polices du document.

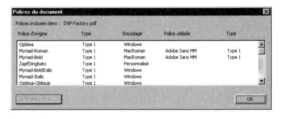

Figure 2.4
En cliquant sur le bouton Liste des polices, on fait également apparaître toutes les variantes des polices utilisées dans le document.

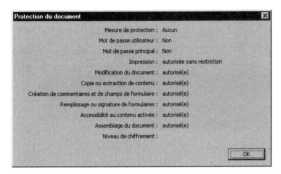

Figure 2.5
Le panneau Protection du document affiche
les options de sécurité du document actif.

La plupart des paramètres qui apparaissent dans
la fenêtre Protection du document ne concernent
que les utilisateurs de la version complète
d'Acrobat. Cependant, les utilisateurs d'Acrobat
Reader peuvent quand même se familiariser avec
certains d'entre eux.

Vérifier la protection d'un document

*   Choisissez Protection du document dans le
    menu Fichier (Ctrl + Alt + S / Cmd + Option
    + S) et cliquez sur le bouton Afficher les para-
    mètres ou choisissez Protection du document
    dans le menu du panneau de document. Le
    panneau Protection du document s'affiche
    (voir Figure 2.5).

    –   **Impression** indique si l'auteur du docu-
        ment a délivré une permission pour
        l'impression du document ou s'il n'a
        autorisé que l'impression en basse résolu-
        tion.

    –   **Copie ou extraction du contenu** indique si
        l'auteur a interdit la sélection et la copie de
        texte ou d'images dans le document PDF.

    –   **Remplissage ou signature de formulaire**
        indique si l'utilisateur peut remplir un
        formulaire ou signer le document numéri-
        quement.

    –   **Accessibilité au contenu activée** déter-
        mine si l'utilisateur peut modifier les
        préférences d'accessibilité d'un docu-
        ment.

Sélection de texte et d'images

Avant de pouvoir faire quoi que ce soit avec
le texte ou les images dans un document PDF,
vous devez apprendre à sélectionner ces éléments. Acrobat Reader propose deux outils pour
sélectionner du texte et un pour sélectionner des
images.

Sélectionner du texte à l'aide de l'outil Texte

1. Sélectionnez l'outil Texte dans la barre d'outils Outils de base (voir Figure 2.6) ou appuyez sur V.
2. Tout en cliquant, faites glisser le curseur sur le texte que vous souhaitez sélectionner (voir Figure 2.7). Vous remarquerez que cet outil saisit des mots entiers, il n'est pas possible de sélectionner juste quelques lettres.

L'outil Texte connaît quelques limites. Si votre sélection s'étend verticalement, vous risquez de sélectionner des éléments qui dont vous n'avez pas besoin. Imaginons que vous souhaitiez sélectionner une partie d'une colonne dans un tableau. Avec l'outil Texte, vous allez sélectionner tous les éléments se trouvant sur un même plan horizontal, c'est-à-dire que vous allez également sélectionner le texte de la colonne adjacente, ce qui n'est pas ce que l'on souhaite (voir Figure 2.8).

Heureusement, Acrobat Reader propose un autre outil de sélection de texte adapté à de telles situations.

Sélectionner du texte à l'aide de l'outil Colonne

1. Sélectionnez l'outil Colonne dans la barre d'outils Outils de base (voir Figure 2.6) ou appuyez sur Maj + V (voir Figure 2.9).
2. Tout en maintenant le bouton de la souris enfoncé, faites glisser le curseur sur le texte et dessinez un rectangle autour du texte que vous souhaitez sélectionner (voir Figure 2.10).

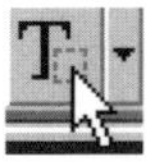

Figure 2.6
Cliquez sur l'outil Texte dans la barre d'outils Outils de base.

Pour incorporer la majorité des polices, sélectionnez Incorporer toutes les polices et déplacez les polices à ne pas incorporer vers la zone de liste Ne jamais incorporer. Pour ce faire, sélectionnez la police voulue dans la liste Polices disponibles et cliquez sur le bouton Ajouter associé à la liste Ne jamais incorporer. Vous pouvez également faire glisser la police vers cette zone de liste. Maintenez la touche Ctrl enfoncée et cliquez pour sélectionner plusieurs polices. Maintenez la touche Maj enfoncée et cliquez pour sélectionner une série de polices consécutives.

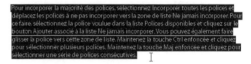

Figure 2.7
Avec l'outil Texte, faites glisser la souris par-dessus le texte à sélectionner.

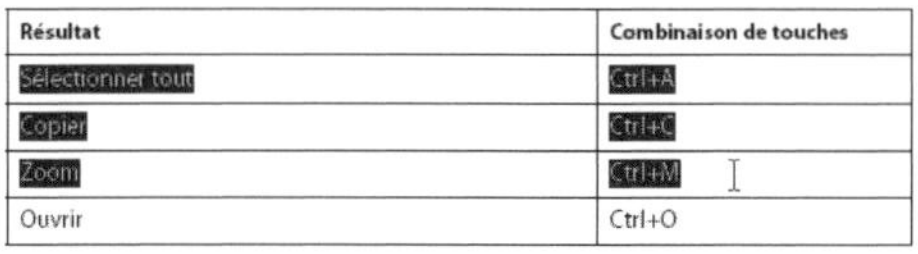

Résultat	Combinaison de touches
Sélectionner tout	Ctrl+A
Copier	Ctrl+C
Zoom	Ctrl+M
Ouvrir	Ctrl+O

Figure 2.8
Pour sélectionner une partie d'un tableau dans une colonne, faites glisser la souris vers le bas. Cette manipulation sélectionne tous les éléments qui se trouvent au même niveau que le curseur.

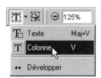

Figure 2.9
Cliquez sur le bouton Plus d'outils à droite de l'outil Texte.

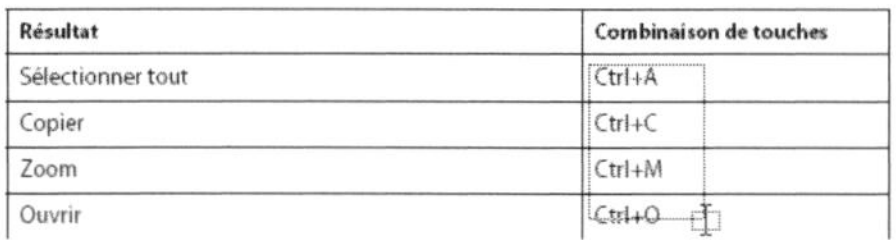

Résultat	Combinaison de touches
Sélectionner tout	Ctrl+A
Copier	Ctrl+C
Zoom	Ctrl+M
Ouvrir	Ctrl+O

Figure 2.10
A l'aide de l'outil Colonne, dessinez un cadre autour du texte que vous souhaitez sélectionner.

Astuces

- La combinaison de touches Maj + V permet de passer d'un outil de sélection à l'autre. Si l'outil Colonne est activé, le fait d'appuyer sur ces touches active l'outil Texte.
- Vous pouvez également passer temporairement d'un outil à l'autre en enfonçant la touche Ctrl (Windows) ou Option (Mac).

Figure 2.11
Cliquez sur le bouton Image
dans la barre Outils de base.

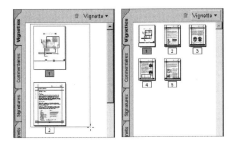

Figure 2.12
A l'aide de l'outil Image, dessinez un rectangle
de sélection autour de l'image que vous souhaitez
sélectionner. Un cadre en pointillé s'affiche.

ⓖ Astuce

Windows uniquement : Pour vous assurer que
vous avez bien copié les bons éléments, vous
pouvez vérifier le contenu du Presse-papiers en
vous rendant dans le menu Fenêtre > Afficher le
Presse-papiers.

Sélectionner tout le texte d'une page

- Choisissez Edition > Sélectionner tout
  (Ctrl + A / Cmd + A).

  La commande Sélectionner tout sélectionne
  le texte si le document est affiché en mode
  Continue ou Continue – Page double.

La sélection du texte dans Acrobat Reader est
donc relativement simple, en revanche, on ne
peut en dire autant de la sélection des images. En
fait, on ne "sélectionne" jamais un élément graphique. A la place, on prend un instantané d'une
partie d'un document PDF (qui peut contenir des
images) en utilisant l'outil Image d'Acrobat Reader.

Sélectionner une image

1. Cliquez sur le bouton Image dans la barre
d'outils Outils de base (voir Figure 2.11) ou
appuyez sur G.

2. Tout en maintenant le bouton de la souris
appuyé, faites glisser l'outil Image sur la zone
que vous souhaitez sélectionner (voir
Figure 2.12). Un rectangle en pointillé apparaît autour de la zone sélectionnée.

Désélectionner les éléments sélectionnés

- Choisissez Edition > Désélectionner tout
  (Ctrl + Maj + D / Cmd + Maj + D).

Copier le texte ou les images sélectionnés

- Pendant que le texte ou l'image est sélectionné,
  choisissez Edition > Copier (Ctrl + C /
  Cmd + C).

  Le texte ou l'image sera copié dans le Presse-
  papiers et pourra être collé dans une autre
  application.

Préférences

Il est possible de modifier de nombreux paramètres de préférence qui affectent la façon de naviguer et d'afficher les documents dans Acrobat Reader. Les paramètres par défaut conviendront à la plupart des utilisateurs, mais vous souhaiterez peut-être quand même effectuer quelques modifications. La plupart de ces options peuvent être modifiées grâce à la boîte de dialogue Préférences.

Modifier les préférences d'Acrobat Reader

1. Choisissez Edition > Préférences (Windows) ou Edition > Préférences > Général (Mac) ou appuyez sur Ctrl + K ou Cmd + K.

2. Dans la liste de gauche de la boîte de dialogue Préférences, choisissez la préférence que vous souhaitez configurer.

3. Cliquez sur OK pour enregistrer les modifications ou sur Annuler pour fermer la boîte de dialogue sans enregistrer les changements.

   – **Accessibilité** (voir Figure 2.13) permet de modifier les couleurs utilisées par Acrobat Reader pour afficher le document afin que les personnes qui ont des problèmes de vision puissent plus facilement lire ce qui est à l'écran.

   – **Affichage** permet de modifier la disposition par défaut des pages, de définir les unités de mesure, de choisir une langue et de contrôler le lissage et le zoom.

   – **Commentaires** permet de modifier la police et la taille de caractères des commentaires insérés dans un document PDF.

   – **Formulaire** permet de déterminer si les formulaires peuvent calculer les valeurs de champ automatiquement, et d'indiquer si

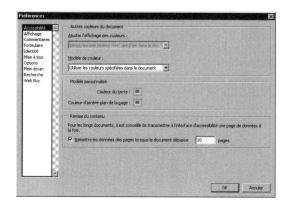

Figure 2.13
Modifiez la couleur d'affichage pour faciliter la lecture du document pour les personnes qui souffrent de troubles de la vision.

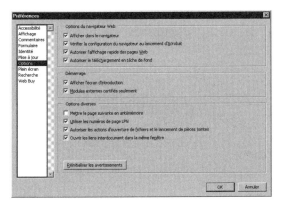

Figure 2.14
Configurez les options pour le navigateur, pour le démarrage et d'autres fonctions dans cet écran.

on doit utiliser un rectangle de mise au point et si les champs doivent être mis en surbrillance. Vous pouvez également modifier la couleur de surbrillance.

– **Identité** permet de définir l'identifiant de l'utilisateur du programme, ce qui offre la possibilité de saisir ensuite automatiquement ces données dans les formulaires.

– **Mise à jour** permet de configurer Acrobat Reader pour qu'il vérifie régulièrement sur le Web s'il existe des mises à jour.

– **Options** permet de modifier les options liées au navigateur, au démarrage et à diverses autres fonctions (voir Figure 2.14).

– **Plein écran** permet de personnaliser le mode Plein écran dans lequel tous les contrôles et tous les outils d'Acrobat Reader sont masqués. Avec les options Navigation, vous pouvez choisir de passer à la page suivante après une durée donnée ou suite à un clic. Vous pouvez également choisir de revenir à la première page après lecture de la dernière et utiliser la touche Echap pour quitter le mode Plein écran. Les options Aspect permettent de définir le style des transitions entre pages, d'afficher ou non le curseur de la souris et de modifier la couleur d'arrière-plan.

– **Web buy** permet d'acheter et de lire des documents PDF protégés par copyright. Cette section vous donne la possibilité de configurer les avertissements, de définir des identifiants et de choisir l'emplacement d'une bibliothèque.

① Info

Gardez à l'esprit que la modification des préférences d'Acrobat Reader affecte l'affichage et le travail avec tous les documents. Ces modifications ne sont pas exclusivement liées au document que vous consultez.

Configuration des préférences de zoom

Acrobat Reader affiche les documents PDF avec un niveau de zoom par défaut qui n'est pas forcément le niveau le plus approprié pour votre moniteur. Heureusement, vous pouvez modifier ce paramètre dans les préférences du programme.

Modifier le niveau de zoom par défaut

1. Ouvrez la boîte de dialogue Préférences (comme cela a été expliqué précédemment) et activez la section Affichage.

2. Sélectionnez un nouveau niveau de zoom par défaut dans le menu Zoom par défaut (voir Figure 2.15) ou tapez un nouveau pourcentage dans le champ.

3. Cliquez sur OK. A partir de maintenant, tous les documents ouverts s'afficheront avec le niveau de zoom que vous aurez sélectionné.

⊚ Astuce

La plupart des utilisateurs préfèrent employer un des paramètres d'ajustement comme niveau de zoom par défaut. L'option Contenu est intéressante si vous voulez ne cadrer que le contenu du document sans tenir compte de ses marges.

S'il vous est déjà arrivé de voir Acrobat Reader zoomer beaucoup trop gros lors d'un changement de page au point de ne cadrer qu'un seul mot lorsque le mode Contenu est sélectionné, vous apprécierez la possibilité de restreindre le niveau maximal de zoom de ce mode.

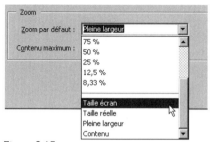

Figure 2.15
Sélectionnez un nouveau niveau de zoom par défaut.

Zoom
Zoom par défaut : Taille écran
Contenu maximum : 800%
1600 %
800 %
400 %
200 %
150 %
100 %
75 %
50 %
25 %
12,5 %

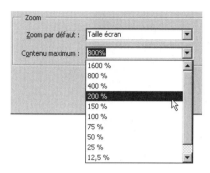

Figure 2.16

Sélectionnez un nouveau niveau de zoom maximal dans le menu Contenu maximal.

Autres ressources d'aide
Outre l'aide d'Acrobat, le menu d'aide permet d'accéder à des ressources d'aide tierces, notamment aux liens directs Problèmes fréquents (sur le site Adobe.com) et aux mises à jour du logiciel et de l'aide sur Adobe Online.

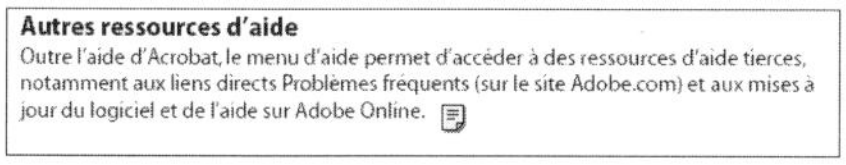

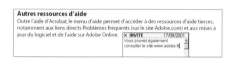

Figure 2.17

Les commentaires sont représentés par des petites icônes de document dans les fichiers PDF.

Autres ressources d'aide
Outre l'aide d'Acrobat, le menu d'aide permet d'accéder à des ressources d'aide tierces, notamment aux liens directs Problèmes fréquents (sur le site Adobe.com) et aux mises à jour du logiciel et de l'aide sur Adobe Online.
INVITE 17/09/2001
Vous pouvez également consulter le site www.adobe.fr

Figure 2.18

Si vous double-cliquez sur un commentaire, le contenu s'affiche. Cliquez sur le bouton de fermeture de la fenêtre du commentaire pour le faire disparaître.

Modifier le niveau maximal de zoom

1. Ouvrez la boîte de dialogue Préférences.
2. Sélectionnez un nouveau pourcentage de zoom par défaut dans le menu Contenu maximal (voir Figure 2.16) ou entrez un pourcentage au clavier.
3. Cliquez sur OK. Désormais, le paramètre de grossissement Contenu n'excédera pas le pourcentage maximal que vous avez défini.

Lecture des commentaires

Avec Acrobat, il est possible d'ajouter des commentaires lors de l'édition de documents PDF. Les commentaires peuvent être de simples notes de texte, mais il peut aussi s'agir de fichiers joints, de sons ou même de clips vidéo. Acrobat Reader ne peut toutefois ouvrir que les notes de texte et les clips vidéo.

Lire les commentaires dans Acrobat Reader

1. Localisez un commentaire que vous souhaitez lire dans un document PDF. Les commentaires ressemblent à des petites icônes de document (voir Figure 2.17).
2. Double-cliquez sur le commentaire pour afficher son contenu (voir Figure 2.18). La date de création du commentaire et le nom de son auteur sont indiqués.
3. Pour fermer un commentaire cliquez sur le bouton de fermeture situé dans le coin supérieur gauche de sa fenêtre. Le commentaire reprend sa forme d'icône.

⊚ Astuces

- Les commentaires peuvent également apparaître sous forme de texte en surbrillance, sans icône de document. Double-cliquez sur le texte pour faire apparaître la note.

- Dans Acrobat Reader, vous pouvez cliquer sur un commentaire pour le sélectionner et le déplacer dans la page, mais il n'est pas possible de le modifier ou de le supprimer. Par ailleurs, comme Acrobat Reader ne permet pas d'effectuer de sauvegarde, le commentaire retrouvera sa position d'origine la prochaine fois que vous ouvrirez le document.

Lire un clip vidéo dans Acrobat Reader

1. Cliquez sur le bouton Main dans la barre Outils de base ou appuyez sur la touche H.

2. Faites glisser le pointeur de la souris sur le clip que vous voulez lire. Le curseur se transforme en pellicule.

3. Double-cliquez sur l'icône pour lire le clip.

4. Appuyez sur Echap pour interrompre la lecture.

Utilisation de l'outil Rechercher

Parfois, on a besoin de localiser un mot ou une phrase donnés au sein d'un document. Au lieu d'essayer de le trouver par vous-même dans chaque page, vous pouvez utiliser la commande Rechercher qui effectuera ce travail à votre place.

Figure 2.19
Lorsque le pointeur de la souris se trouve au-dessus d'un clip vidéo, il se transforme en pellicule.

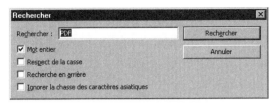

Figure 2.20
Tapez le mot ou la phrase que vous
recherchez et activez l'option Mot entier.

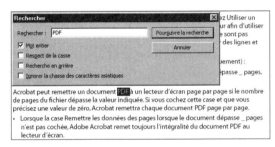

Figure 2.21
Cliquez sur le bouton Poursuivre la recherche
pour trouver les occurrences qui suivent.

Rechercher un mot ou une phrase dans un document PDF

1. Choisissez Edition > Rechercher (Ctrl + F / Cmd + F) ou cliquez sur le bouton Rechercher de la barre d'outils Fichier.

2. Dans le champ de texte de la boîte de dialogue Rechercher, tapez le mot ou la phrase qui vous intéresse (voir Figure 2.20). Si le terme est un mot complet (comme "PDF"), cochez la case Mot entier.

3. Cliquez sur le bouton Rechercher. La première occurrence du mot ou de la phrase sera mise en surbrillance.

⊚ Astuce

Cliquez sur le bouton Poursuivre la recherche pour localiser les occurrences suivantes du mot ou de la phrase (voir Figure 2.21).

Recherche dans un document

La commande Rechercher est utile, mais elle peut être lente et fastidieuse. Acrobat Reader doit parcourir tout le document et rechercher chaque occurrence du mot ou de la phrase recherchée. Dans un document de plusieurs centaines de pages, la recherche peut être longue.

La commande Recherche est bien plus puissante. Elle utilise un *index*, une base de données de tous les mots du document, pour trouver les mots, les phrases ou les caractères que vous

recherchez. Le seul inconvénient de cette commande est qu'elle ne fonctionne qu'avec les
documents qui ont été indexés et l'indexation ne
peut être établie que dans la version complète
d'Acrobat (en utilisant les composants Catalogue). En revanche, la commande Recherche peut
rechercher un mot dérivé d'un autre ou qui est
phonétiquement proche d'un autre. Elle peut
également consulter un thésaurus. Avec la commande Sélectionner un index, vous pouvez choisir un index prédéfini à utiliser pour vos
recherches. Notez que pour pouvoir utiliser la
commande Recherche, vous devez avoir choisi
d'activer cette option lors de l'installation
d'Acrobat Reader. Reportez-vous au Chapitre 1
pour plus d'informations sur l'installation.

Effectuer une recherche dans un document PDF

1. Choisissez Edition > Rechercher dans
   plusieurs documents > Recherche
   (Ctrl + Maj + F / Cmd + Maj + F) ou cliquez
   sur le bouton Rechercher de la barre d'outils
   Fichier.

2. Dans la boîte de dialogue Recherche dans
   plusieurs documents (voir Figure 2.22), tapez
   le ou les mots que vous recherchez et choisissez les options qui suivent en fonction de vos
   besoins.

   – **Racine identique** permet de rechercher
     tous les mots qui contiennent une partie
     de votre chaîne de recherche.

   – **Signification** permet de trouver les mots
     qui ont une signification semblable à celle
     de la chaîne de recherche.

   – **Respect de la casse** permet de rechercher
     uniquement les mots qui utilisent une
     casse semblable à celle de votre chaîne de
     recherche.

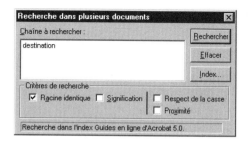

Figure 2.22
Tapez les termes de la recherche dans la zone de
texte et activez les options dont vous avez besoin.

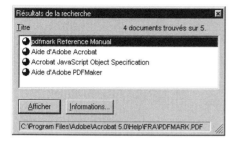

Figure 2.23
Sélectionnez un document dans la liste
et cliquez sur le bouton Afficher.

– **Proximité** permet de rechercher deux
mots mitoyens en utilisant un opérateur
AND. Le résultat affichera la liste des
mots qui correspondent aux deux critères
de recherche et qui se trouvent à proximité les uns des autres.

3. Cliquez sur Rechercher pour commencer le
processus de recherche.

Lorsque la recherche est terminée, toutes les
occurrences du critère de recherche sont affichées en surbrillance à l'écran.

Afficher les résultats de la recherche

• Pour passer d'un mot en surbrillance à l'autre,
choisissez Edition > Rechercher dans plusieurs
documents > Suivant [Ctrl +) / Cmd +)]
pour aller vers l'avant et Edition > Rechercher
dans plusieurs documents > Précédent
[Ctrl + (/ Cmd + (] pour aller en arrière.

ou

• Cliquez sur le bouton Occurrence suivante ou
Occurrence précédente dans le menu Plus
d'outils de la barre d'outils Fichier.

Lorsque vous effectuez une recherche sur plusieurs documents, la fenêtre Résultats de la
recherche montre une liste de documents qui
contiennent les éléments recherchés classés
par ordre de pertinence.

Ouvrir la fenêtre
Résultats de la recherche

1. Choisissez Edition > Rechercher dans
plusieurs documents > Résultats
(Ctrl + Maj + G / Cmd + Maj + G) ou cliquez
sur le bouton Résultat de la recherche dans le
menu Plus d'outils de la barre d'outils Fichier.

2. Dans la fenêtre Résultats de la recherche (voir
Figure 2.23), sélectionnez un document listé
et cliquez sur le bouton Afficher (ou appuyez

sur Entrée/Retour). Le document sélectionné s'ouvre et le mot recherché est affiché en surbrillance.

3. Si la recherche trouve le terme dans plusieurs documents, vous pouvez passer d'un document à l'autre en faisant Edition > Rechercher dans plusieurs documents > Document précédent [Ctrl + Maj + (/ Cmd + Maj + (] ou Edition > Rechercher dans plusieurs documents > Document suivant [Ctrl + Maj +) / Cmd + Maj +)].

Le bouton Informations permet d'afficher la boîte de dialogue Informations sur le document ; elle donne des renseignements sur ce dernier dans la boîte de dialogue Résultats de la recherche. Cliquez sur le nom d'un document, puis sur le bouton Informations pour connaître son nom de fichier, son titre, son sujet, son auteur, ses mots clés, sa date de création, sa date de dernière modification, son occurrence (sa pertinence par rapport au critère de recherche) et le nom de l'index utilisé pour la recherche. Pour plus de renseignement sur la boîte de dialogue Informations sur le document, consultez le Chapitre 5.

Rechercher des informations sur le document

1. Ouvrez la fenêtre Résultats de la recherche (comme expliqué précédemment).

2. Cliquez sur le nom du fichier qui vous intéresse, puis cliquez sur le bouton Informations pour faire apparaître des informations relatives au document sélectionné (voir Figure 2.24).

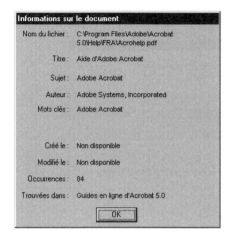

Figure 2.24
La fenêtre Informations sur le document donne des renseignements sur le document sélectionné.

Figure 2.25
La fenêtre Sélectionner un index
affiche la liste des index disponibles.

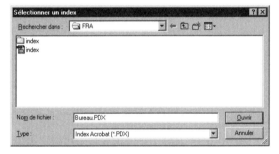

Figure 2.26
Dans la boîte de dialogue Sélectionner
un index, sélectionnez l'index que vous
souhaitez ajouter et cliquez sur Ouvrir.

Ajout de fichiers d'index

Dans Acrobat Reader, vous pouvez utiliser la
boîte de dialogue Sélectionner un index pour
ajouter ou supprimer des fichiers d'index de
manière à ce que la recherche puisse englober
plusieurs index.

Ajouter un fichier d'index

1. Choisissez Edition > Rechercher dans
   plusieurs documents > Index (Ctrl + Maj
   + X / Cmd + Maj + X). La boîte de dialogue
   Sélectionner un index s'ouvre et affiche la
   liste des index disponibles (voir Figure 2.25).

2. Cliquez sur le bouton Ajouter. La boîte de
   dialogue Sélectionner un index s'ouvre
   (voir Figure 2.26).

3. Sélectionnez l'index que vous souhaitez ajouter et cliquez sur Ouvrir.

Supprimer un index

1. Ouvrez la boîte de dialogue Sélectionner un
   index.

2. Sélectionnez l'index que vous souhaitez
   supprimer et cliquez sur Enlever.

Acrobat eBook Reader

Acrobat eBook Reader permet de consulter des livres électroniques sur votre ordinateur, c'est-à-dire des fichiers PDF enregistrés dans un format spécial. Avec Acrobat eBook Reader, vous pouvez afficher les textes enrichis et les illustrations d'un document PDF d'une manière qui vous sera vite familière. Il suffit de lire et de tourner les pages, comme pour un livre imprimé, et sans devoir recourir à l'interface un peu lourde d'Acrobat Reader.

Acrobat eBook Reader a été conçu pour vous donner l'impression de lire un livre traditionnel, tout en vous proposant d'insérer des annotations et de placer des signets sur certains passages. Par ailleurs, la navigation entre les pages est rapide et intuitive. Acrobat eBook Reader contient également des fonctions plus évoluées, comme un système de recherche, un dictionnaire incorporé et un système de téléchargement de livres électroniques intégré au programme. Il est également possible de prêter ou de distribuer des livres électroniques à d'autres utilisateurs d'eBook Reader, exactement comme vous le feriez avec un livre classique.

Téléchargement et installation d'eBook Reader

Le programme eBook Reader est aussi simple à se procurer qu'Acrobat Reader. Il suffit pour cela de se connecter au site Web Adobe. Notez qu'aucune application ne doit être en cours d'exécution pendant l'installation d'eBook Reader.

Télécharger Acrobat eBook Reader

1. A l'aide de votre navigateur, connectez-vous au site Web Adobe (**www.adobe.fr**).

2. Cliquez sur l'icône Get Adobe eBook Reader (voir Figure 3.1).

3. Cliquez sur le lien Télécharger (voir Figure 3.2).

4. Remplissez le formulaire d'enregistrement en ligne, puis cliquez sur le bouton Enregistrer (voir Figure 3.3).

5. Cliquez sur la version appropriée d'eBook Reader selon votre machine (voir Figure 3.4).

Figure 3.1
Cliquez sur l'icône Get Adobe eBook Reader pour télécharger gratuitement le programme.

Figure 3.2
Cliquez sur le bouton Télécharger.

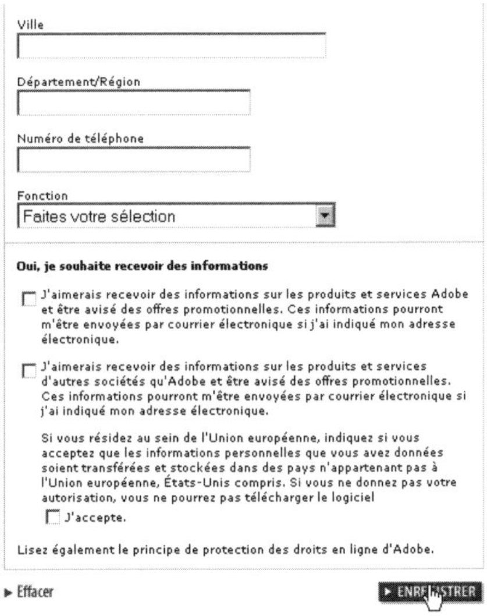

Figure 3.3
Vous devez remplir le formulaire d'enregistrement avant de pouvoir charger le programme.

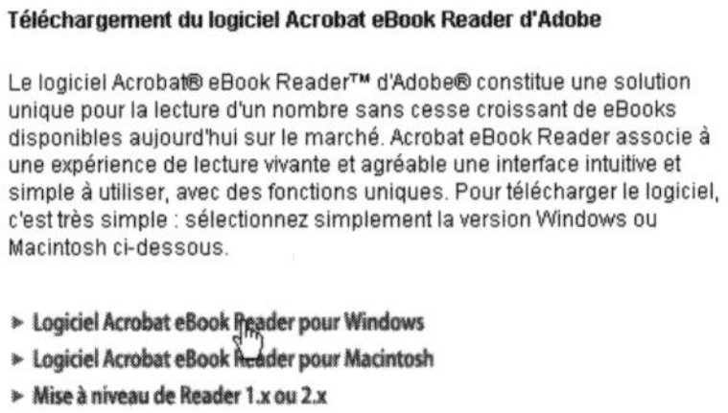

Téléchargement du logiciel Acrobat eBook Reader d'Adobe

Le logiciel Acrobat® eBook Reader™ d'Adobe® constitue une solution unique pour la lecture d'un nombre sans cesse croissant de eBooks disponibles aujourd'hui sur le marché. Acrobat eBook Reader associe à une expérience de lecture vivante et agréable une interface intuitive et simple à utiliser, avec des fonctions uniques. Pour télécharger le logiciel, c'est très simple : sélectionnez simplement la version Windows ou Macintosh ci-dessous.

▸ Logiciel Acrobat eBook Reader pour Windows
▸ Logiciel Acrobat eBook Reader pour Macintosh
▸ Mise à niveau de Reader 1.x ou 2.x

Figure 3.4
Choisissez la version du logiciel qui convient à votre plate-forme.

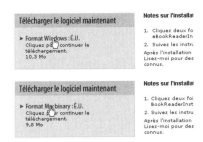

Figure 3.5
Cliquez sur Format Windows ou sur Format MacBinary pour lancer le téléchargement.

Figure 3.6
Lorsque le téléchargement est terminé, l'icône d'installation d'Adobe eBook Reader s'affiche sur votre bureau.

Figure 3.7
Double-cliquez sur l'icône d'installation d'Adobe eBook Reader pour lancer l'installation du programme.

Figure 3.8
Ecran d'accueil du processus d'installation.

6. Cliquez sur Format Windows ou sur Format MacBinary pour lancer le téléchargement (voir Figure 3.5). Si vous le souhaitez, vous pouvez lire au préalable la note d'installation qui se trouve du côté droit de la page.

Une fois le téléchargement terminé, le fichier se décompresse automatiquement et l'icône d'installation d'Adobe eBook Reader s'affiche sur votre bureau (voir Figure 3.6).

Installer Adobe eBook Reader

1. Localisez l'icône d'installation d'Adobe eBook Reader sur votre bureau et double-cliquez dessus. Le programme d'installation est lancé (voir Figure 3.7).

2. Lorsque l'écran d'accueil s'affiche, cliquez sur Suivant (Windows) ou sur Continuer (Mac) [voir Figure 3.8].

3. Le panneau Contrat de licence logiciel s'affiche. Pour installer eBook Reader, cliquez sur Oui/Accepter (voir Figure 3.9).

4. Sélectionnez le disque et le dossier d'installation, puis cliquez sur Suivant/Installer. Si vous n'avez pas spécifié de dossier d'installation, eBook Reader sera installé sur le disque de démarrage dans le dossier \Program Files\Adobe (voir Figure 3.10).

5. Le programme d'installation vous avertit que les icônes du programme vont être créées. Cliquez sur le bouton Suivant pour continuer (voir Figure 3.11).

6. Cliquez sur le bouton Terminer pour terminer l'installation (voir Figure 3.12).

   Vous devrez redémarrer votre ordinateur avant de pouvoir utiliser eBook Reader pour la première fois.

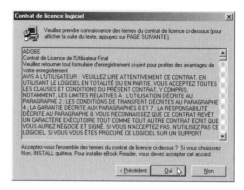

Figure 3.9
Vous devez accepter les conditions d'utilisation pour installer le programme.

Figure 3.10
Choisissez le dossier d'installation.

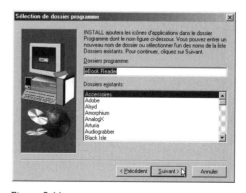

Figure 3.11
Cliquez sur Suivant ou sur Continuer (Mac) pour continuer l'installation.

Figure 3.12
Cliquez sur le bouton Terminer pour terminer
l'installation, puis redémarrez votre ordinateur
avant d'utiliser eBook Reader.

Figure 3.13
Lorsqu'il est lancé, eBook Reader ouvre la bibliothèque.

Figure 3.14
Le menu permet de trouver des informations
sur les documents, des définitions de mot et
de définir les préférences.

Lecture de livres électroniques

En double-cliquant sur l'icône eBook Reader,
vous lancez l'application (voir Figure 3.13). Le
programme s'ouvre sur la bibliothèque et affiche
les vignettes des livres qu'elle contient. Lorsque
vous installez eBook Reader, il n'y a qu'un livre
dans la bibliothèque : *Prise en main d'Acrobat
eBook Reader*.

Les outils d'eBook Reader sont placés autour des
vignettes. Au sommet de la fenêtre se trouve une
barre de tri avec laquelle vous allez sélectionner
les livres à afficher. Dans la partie droite, la barre
de contrôle permet de naviguer dans les livres
électroniques. (Lorsqu'un livre électronique est
ouvert, des contrôles plus nombreux s'affichent).
Les boutons en bas de la barre de contrôle assu-
ment des fonctions classiques. Cliquez sur le
bouton Menu pour faire apparaître la barre de
menus masquée (voir Figure 3.14). Les commandes des différents menus permettent de trouver
des informations sur les documents, de chercher
un mot dans le dictionnaire, de supprimer un livre
de la bibliothèque et de définir les préférences.

Lire un livre électronique

1. Cliquez sur la vignette qui représente la couverture du livre pour le sélectionner, puis cliquez sur le bouton Lecture.

   ou

   Double-cliquez sur la couverture.

   Le livre s'ouvre et de nouveaux contrôles apparaissent (voir Figure 3.15).

2. Pour afficher deux pages à la fois, cliquez sur le bouton Affichage page double dans la barre d'outils qui se trouve dans la partie droite de l'écran.

   ou

   Choisissez Affichage page double dans le menu Lecture.

   ou

   Appuyez sur Ctrl + 2 (Windows) ou sur Cmd + 2 (Mac).

3. Pour tourner la page, cliquez sur le bouton Page suivante dans la barre de contrôle ou appuyez sur les touches Flèche droite ou Page suivante de votre clavier.

4. Pour atteindre une page donnée, utilisez la barre Page en bas de la fenêtre (voir Figure 3.16).

   Chaque bloc rectangulaire dans la barre Page représente une page de votre livre. Les blocs changent de couleurs pour refléter la progression dans le document. Placez le pointeur de la souris sur un bloc, une info-bulle s'affiche et indique le numéro de page correspondant au bloc. Appuyez sur le bouton de la souris sur ce bloc pour atteindre la page correspondante.

Figure 3.15
Pour lire le guide d'utilisation livré avec eBook Reader, cliquez sur le bouton Lecture.

Figure 3.16
Pour atteindre une page donnée, placez la souris sur la barre Page en bas de l'écran.

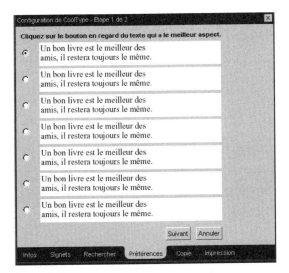

Figure 3.17
Cliquez sur le bouton d'option à côté du texte qui vous semble le plus lisible et répétez cette action dans l'écran suivant.

5. Lorsque vous avez fini de lire, cliquez sur le bouton Bibliothèque pour choisir un autre livre ou sur Quitter (Ctrl + Q / Cmd + Q) pour quitter le programme.

⑥ **Astuces**

- Pour agrandir ou réduire la taille des pages, utilisez les outils Zoom avant et Zoom arrière (Ctrl + "+" / Cmd + "+").

- eBook Reader permet de configurer l'aspect du texte pour qu'il s'adapte au mieux à l'affichage écran. Cliquez sur le bouton Lissage du texte pour activer la fonction CoolType (voir Figure 3.17).

- Il est également possible de demander au programme de lire le texte, même si une voix électronique ne constitue pas un narrateur idéal. Pour cela, cliquez sur le bouton Lect. h. voix. La fonction de lecture à voix haute n'est pas nécessairement disponible pour tous les livres.

- Si vous utilisez un portable, vous pouvez faire pivoter les pages du livre de 90° pour profiter au maximum de votre écran. Cliquez sur le bouton Rotation (Ctrl + R / Cmd + R) pour faire pivoter le texte.

- Les auteurs des livres électroniques peuvent empêcher l'impression ou la copie d'un texte, ainsi que le prêt et la distribution de leurs écrits. Pour vérifier les autorisations liées à un livre, cliquez sur le bouton Menu, puis sur l'onglet Info, et enfin sur Autorisations.

Annotations dans les livres électroniques

Utiliser le surligneur

1. Cliquez sur le bouton Sélection dans la barre de contrôle (Ctrl + H / Cmd + H).
2. Appuyez sur le bouton de la souris et faites-la glisser sur le passage que vous souhaitez surligner (voir Figure 3.18).
3. Cliquez à nouveau sur le bouton Sélection pour désactiver la fonction.

Vous pouvez utiliser l'outil Annotation pour ajouter des notes masquées et des annotations à un livre électronique.

Un jeu de boutons plus grands dont les aspects et fonctions
varient selon que vous lisez un livre, utilisez votre
bibliothèque ou visitez une librairie.

Figure 3.18
Le surligneur permet de mettre en évidence certains passages dans le texte.

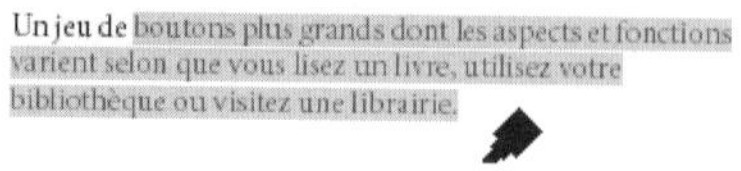

Ajouter des notes masquées avec l'outil Annotation

1. Cliquez sur le bouton Annotation de la barre d'outils (Ctrl + N / Cmd + T).
2. Cliquez sur le passage où vous voulez insérer une note masquée. La fenêtre Note s'affiche.
3. Tapez le texte de votre annotation dans la fenêtre (voir Figure 3.19).

   Lorsque vous avez terminé, fermez la fenêtre Note. Une icône en forme de page cornée marque l'emplacement de la note (voir Figure 3.20).

eBook Reader.
Un jeu de boutons
varient selon que vo
bibliothèque ou visi
Annotation
Ce passage est particulièrement intéressant.
Enregistrer
Supprimer

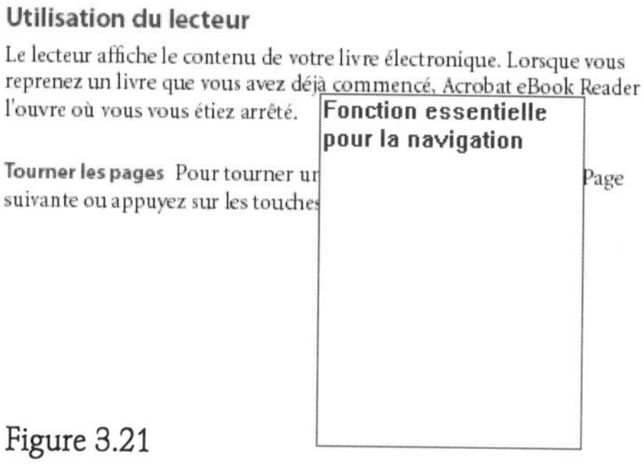

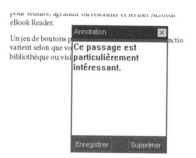

Figure 3.19
Cette fenêtre permet d'insérer des commentaires dans le texte.

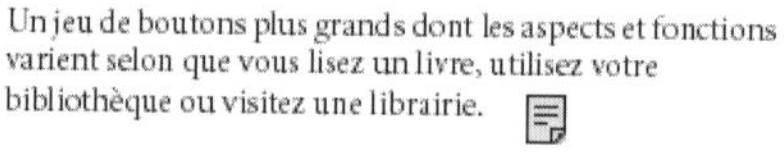

Un jeu de boutons plus grands dont les aspects et fonctions
varient selon que vous lisez un livre, utilisez votre
bibliothèque ou visitez une librairie.

Figure 3.20
Fermez la fenêtre Note pour la réduire à une icône.

Ajouter une note directement dans le texte

1. Dans le livre actif, cliquez sur l'emplacement où vous souhaitez ajouter une note.
2. Activez l'outil Annotation.
3. Effectuez un clic droit ou un Ctrl + clic dans la zone de texte où vous souhaitez ajouter une note. Un cadre vierge apparaît.
4. Tapez le texte de votre note dans le cadre (voir Figure 3.21).

Utilisation du lecteur
Le lecteur affiche le contenu de votre livre électronique. Lorsque vous
reprenez un livre que vous avez déjà commencé, Acrobat eBook Reader
l'ouvre où vous vous étiez arrêté.
Fonction essentielle pour la navigation
Tourner les pages Pour tourner u
suivante ou appuyez sur les touche
Page

Figure 3.21
L'outil Annotation permet d'insérer des notes dans un cadre...

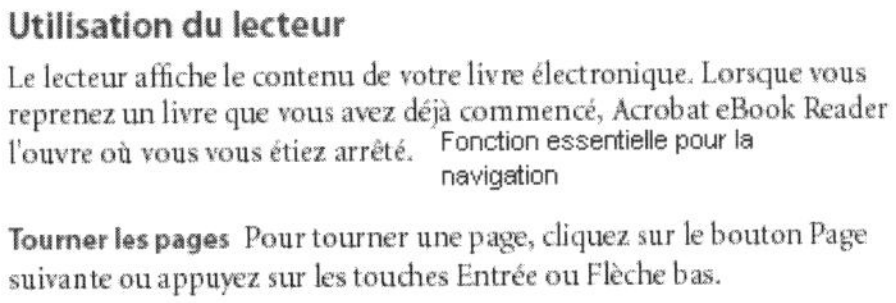

Utilisation du lecteur

Le lecteur affiche le contenu de votre livre électronique. Lorsque vous reprenez un livre que vous avez déjà commencé, Acrobat eBook Reader l'ouvre où vous vous étiez arrêté. Fonction essentielle pour la navigation

Tourner les pages Pour tourner une page, cliquez sur le bouton Page suivante ou appuyez sur les touches Entrée ou Flèche bas.

Figure 3.22

... qui disparaît lorsque vous cliquez ailleurs dans la page pour ne laisser que la note dans le texte.

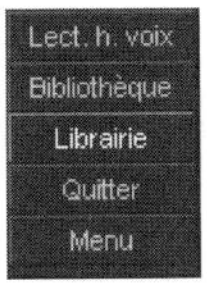

Figure 3.23

Cliquez sur le bouton Librairie pour télécharger de nouveaux livres électroniques.

Figure 3.24

Cliquez sur le bouton Certifier maintenant pour continuer.

Figure 3.25

Le navigateur Web vous amène directement sur la page consacrée aux livres électroniques sur le site Barnes & Noble.

5. Cliquez hors du cadre pour terminer votre note. Le texte reste visible dans la page (voir Figure 3.22).

Création d'une bibliothèque de livres électroniques

Au moment de l'écriture de ce livre, les éditeurs en ligne Barnes & Noble, Amazon.com et Adobe proposent une quantité limitée de livres gratuits et un catalogue plus important d'ouvrages à acquérir. Lorsque vous aurez téléchargé quelques titres, vous pourrez les organiser en catégories et les prêter ou les distribuer si les éditeurs en ont donné l'autorisation.

Pour l'instant, le téléchargement de livres électroniques sur les plates-formes Windows exige l'utilisation de Microsoft Internet Explorer 4 ou plus.

Télécharger des livres

1. Cliquez sur le bouton Librairie dans le coin inférieur droit de l'écran d'eBook Reader (voir Figure 3.23). La boîte de dialogue Certification d'Acrobat eBook Reader s'affiche.

Si c'est la première fois que vous utilisez eBook Reader, vous devrez cliquer sur les boutons Certifier maintenant (voir Figure 3.24). La certification ne prend qu'une seconde. Un message de confirmation s'affichera à la fin du processus.

3. Cliquez sur Continuer. Par défaut, la page eBook Mall du site Barnes & Noble s'ouvre automatiquement (voir Figure 3.25).

4. Sélectionnez le site sur lequel vous souhaitez effectuer un téléchargement.

5. Cliquez sur le nom du livre que vous souhaitez charger (voir Figure 3.26).

Vous pouvez surveiller la progression du téléchargement en regardant dans le bas de la fenêtre d'eBook Reader (voir Figure 3.27).

Organisation de votre bibliothèque

Avec le temps, de nombreux livres s'accumuleront rapidement dans votre bibliothèque et vous devrez faire défiler des pages et des pages de vignettes avant de trouver le livre qui vous intéresse. Heureusement, eBook Reader propose une solution à ce problème.

Organiser vos livres électroniques

1. Cliquez sur le bouton Afficher dans la barre d'outils en haut de l'écran Bibliothèque. Un menu contenant des catégories s'affiche (voir Figure 3.28).

2. Choisissez une des catégories dans le menu.

3. Cliquez sur le bouton Tri par pour ouvrir un menu contenant des critères de tri (voir Figure 3.29).

4. Choisissez un des critères listés pour déterminer l'ordre d'affichage de vos livres.

Figure 3.26
Choisissez un site de téléchargement.

Figure 3.27
La progression du téléchargement est indiquée dans le bas de la fenêtre d'eBook Reader.

Figure 3.28
Le menu Affiche affiche les catégories existantes.

Figure 3.29
Classez les livres par auteur, par titre, par date d'acquisition ou par date de dernière consultation.

Figure 3.30
Vous pouvez assigner une ou plusieurs catégories
à un livre.

Figure 3.31
Cliquez sur le bouton Prêter/Donner
pour partager vos livres électroniques.

Classer un livre dans une catégorie

1. Cliquez sur le bouton Menu pour faire apparaître la barre de menus.

2. Cliquez sur le bouton Info. La boîte de dialogue Informations sur le livre s'affiche (voir Figure 3.30).

3. Choisissez une catégorie pour le livre dans le premier menu Categorie. Si vous souhaitez assigner une seconde catégorie au livre, choisissez-en une dans le second menu.

ⓖ Astuce

Pour modifier les catégories utilisées dans votre bibliothèque, allez dans la boîte de dialogue Organize Categories : bouton Menu, Préférences et Catégories.

Prêter ou distribuer vos livres électroniques

Vous devez vous trouver dans la fenêtre Library.

1. Cliquez sur la vignette du livre que vous souhaitez prêter ou distribuer.

2. Cliquez sur le bouton Menu pour faire apparaître la barre de menus.

3. Cliquez sur le bouton Prêter/Donner (voir Figure 3.31).

4. Dans la boîte de dialogue qui s'affiche, sélectionnez la durée du prêt ou cliquez sur Diffuser pour transférer définitivement le livre.

5. Pour envoyer un livre sur un réseau, tapez le nom de l'ordinateur destinataire dans le champ Envoyer ou cliquez sur Parcourir et localisez l'ordinateur sur le réseau.

   Vous pouvez également transférer le livre entre deux ordinateurs équipés de port infrarouge.

⊚ Astuces

- Le prêt de livre n'est pour le moment possible que dans la version Windows d'eBook Reader.

- Si vous souhaitez transférer un livre acheté, et l'envoyer à une autre machine, vous êtes obligé de le donner définitivement. Par ailleurs, si vous modifiez la configuration de votre système, en réinstallant le système d'exploitation ou en installant un processeur plus puissant, il est possible que vous ne puissiez plus ouvrir vos livres électroniques.

chapitre 4

Création de fichiers PDF

Pour convertir un document au format PDF, vous avez besoin de la version complète d'Acrobat. La méthode principale pour créer un fichier PDF consiste à préparer un document sous forme de fichier PostScript que l'on transmet ensuite à Acrobat Distiller (un composant du package Acrobat). Vous pouvez générer un fichier PostScript directement depuis la boîte de dialogue Imprimer de la plupart des logiciels. Distiller offre de nombreuses options et est capable de gérer les commandes PostScript, ainsi que les objets.

Vous pouvez également créer des fichiers PDF depuis des applications. Bien que cette méthode soit plus simple que celle qui fait appel à Distiller, elle offre moins de contrôle sur les paramètres du produit final.

Création de fichiers PostScript

Le PostScript est un langage de programmation développé par Adobe pour décrire la mise en page d'un document (texte, polices, images, disposition, etc.). Lorsque vous imprimez depuis n'importe quelle application vers une imprimante PostScript, le pilote PostScript de votre ordinateur traduit la mise en page de votre document en code PostScript. L'ordinateur envoie le code à l'imprimante qui est contrôlée par un processeur capable d'interpréter le PostScript.

La première étape de la création d'un document PDF consiste à générer le code PostScript du document. Mais, au lieu d'envoyer le fichier à l'imprimante, vous l'enregistrez sur le disque dur de votre machine. Le fichier PostScript ainsi créé correspond au matériel brut à partir duquel Distiller va générer le fichier PDF final.

Créer un fichier PostScript (Mac)

1. Dans la plupart des applications, choisissez Imprimer dans le menu Fichier pour ouvrir la boîte de dialogue du même nom.

2. Dans la zone Destination de la boîte de dialogue Imprimer, choisissez Fichier dans le menu déroulant et cliquez sur Enregistrer (voir Figure 4.1).

3. Nommez le fichier et sélectionnez l'emplacement où vous voulez le sauvegarder.

   Le fichier est enregistré avec l'extension .ps (pour PostScript). Vous pouvez alors utiliser Distiller pour transformer le fichier PostScript en document PDF.

Figure 4.1
Choisissez Fichier dans le menu déroulant Destination.

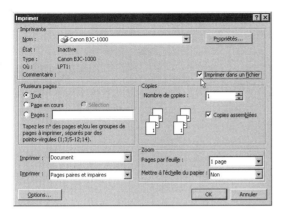

Figure 4.2
La case Imprimer dans un fichier.

Acrobat Distiller 5.0

Figure 4.3
Double-cliquez sur l'icône Adobe Distiller.

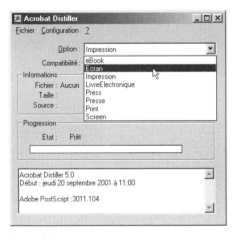

Figure 4.4
Choisissez une option dans le menu.

Créer un fichier PostScript (Windows)

1. Dans la plupart des applications, choisissez Imprimer dans le menu Fichier pour ouvrir la boîte de dialogue du même nom.

2. Cochez la case Imprimer dans un fichier (voir Figure 4.2).

3. Donnez un nom au fichier qui peut avoir l'extension .ps ou .prn (pour printer file) et cliquez sur OK.

   Vous pouvez alors utiliser Distiller pour transformer le fichier PostScript en document PDF.

Utilisation de Distiller

Vous devrez utiliser Acrobat Distiller pour transformer les fichiers PostScript et les fichiers EPS (*Encapsulated PostScript*) en document PDF.

Démarrer Acrobat Distiller

1. Double-cliquez sur l'icône Acrobat Distiller 5.0 sur votre bureau pour lancer le programme (voir Figure 4.3).

   ou

   Si Acrobat est ouvert, choisissez Distiller dans le menu Outils.

   La fenêtre d'Acrobat Distiller s'ouvre.

2. Dans le menu déroulant Option, choisissez Livre électronique, Presse, Impression ou Ecran en fonction de la façon dont le fichier PDF devra être visualisé (voir Figure 4.4).

Les choix du menu Option permettent d'obtenir un équilibre entre taille de fichier et résolution du texte et des images. Reportez-vous à la documentation d'Acrobat pour connaître les détails des paramètres de ces options.

— Choisissez l'option Presse si votre document PDF doit être imprimé en haute résolution sur une imprimante professionnelle. Cette option produit des fichiers de qualité, mais avec des tailles énormes.

— Choisissez Impression pour générer un fichier en moyenne résolution adapté à l'impression sur imprimante de bureau. La taille du fichier sera moyenne.

— L'option Livre électronique produit un fichier relativement petit avec des images en résolution moyenne de manière à pouvoir zoomer dessus.

— Choisissez l'option Ecran si le fichier doit être affiché sur un écran d'ordinateur (sur un site Web, par exemple). Cette option produit de petits fichiers, mais au détriment de la qualité.

La fenêtre principale d'Acrobat Distiller reste au centre de la fenêtre (voir Figure 4.5).

⑥ Astuce

Lorsque Distiller crée un fichier PDF à partir d'un fichier PostScript, il produit également un fichier journal dans lequel il consigne ses actions. Vous pouvez utiliser ces fichiers pour identifier les éventuels problèmes rencontrés par Distiller au moment de la création du document PDF. Si vous trouvez des erreurs, vous pouvez essayer de les corriger et relancer le programme.

Figure 4.5
Fenêtre d'Acrobat Distiller.

Figure 4.6
Choisissez Ouvrir
dans le menu Fichier.

Figure 4.7
Sélectionnez le fichier à traiter.

Figure 4.8
Nommez le fichier et choisissez l'endroit
où vous souhaitez l'enregistrer.

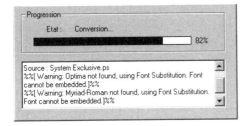

Figure 4.9
La barre de progression reflète l'état
du travail de transformation.

Transformer un fichier PostScript en fichier PDF

1. Choisissez Ouvrir dans le menu Fichier (Ctrl + O / Cmd + O) pour afficher la boîte de dialogue Ouvrir un fichier PostScript (voir Figure 4.6).

2. Affichez le fichier PostScript que vous voulez traiter et cliquez sur le bouton Ouvrir (voir Figure 4.7).

   La boîte de dialogue Préciser un nom de fichier PDF s'ouvre (voir Figure 4.8).

3. Tapez un nom de fichier, choisissez l'endroit où vous souhaitez l'enregistrer et cliquez sur le bouton Enregistrer.

   La fenêtre d'Acrobat Distiller montre la progression du traitement (voir Figure 4.9). Lorsque le processus est terminé, fermez la fenêtre ou choisissez Quitter dans le menu Fichier (Ctrl + Q / Cmd + Q).

⊚ Astuces

- Vous remarquerez que pendant le traitement du fichier, des notes s'affichent dans le bas de la fenêtre. Elles contiennent le nom du fichier, l'heure de démarrage du processus, l'emplacement du fichier PostScript d'origine, l'emplacement du fichier de destination et les substitutions de polices éventuellement effectuées.

- Vous pouvez traiter un fichier PostScript rapidement en faisant glisser son icône sur celle d'Acrobat Distiller. Le fichier résultant sera automatiquement nommé avec l'extension .pdf et sera enregistré dans le même dossier que celui du fichier PostScript d'origine.

Modifier les préférences de Distiller

1. Choisissez Préférences dans le menu Fichier
   (Ctrl + K / Cmd + K) [voir Figure 4.10].

   La boîte de dialogue Préférences s'affiche
   (voir Figure 4.11).

2. Pour activer ou désactiver les différentes
   options, cliquez sur les cases à cocher correspondantes. Certaines options n'existent que
   sur une plate-forme donnée.

   - **Avertir lorsque le volume de démarrage
     est presque saturé** signale qu'il ne reste
     presque plus de place sur le volume de
     démarrage. Distiller utilise le disque
     de démarrage comme mémoire virtuelle
     pour créer les fichiers PDF.

   - **Avertir lorsqu'un dossier de contrôle n'est
     pas disponible** demande au programme
     d'afficher un message si un dossier de
     contrôle n'est pas disponible. A moins
     que Distiller ne soit exécuté sur un
     serveur, il est bon d'activer cette option.
     (Nous parlerons des dossiers de contrôle
     plus loin dans ce chapitre).

   - **Supprimer les fichiers journaux des
     travaux effectués** oblige le programme
     à effacer les fichiers journaux lorsque
     la transformation s'est déroulée sans
     problème.

   - **Redémarrer Distiller à la suite d'une erreur
     PostScript fatale** relance automatique-
     ment Distiller si un code dans un fichier
     PostScript interrompt le processus de
     conversion. Il est conseillé d'activer cette
     option si Distiller s'exécute sur un serveur
     autonome (Mac uniquement) ; sous
     Windows, le programme vous demandera
     si vous souhaitez redémarrer.

Figure 4.10
Choisissez Préférences dans le menu Fichier.

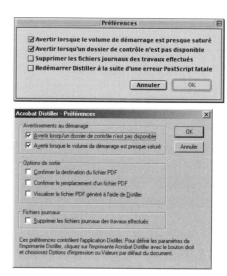

Figure 4.11
La boîte de dialogue Préférences de Distiller
pour Mac (en haut) et Windows (en bas).

Figure 4.12
Choisissez Options dans le menu Configuration.

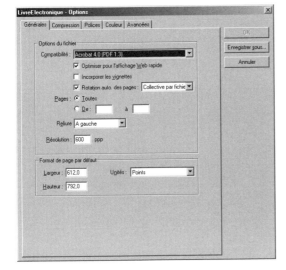

Figure 4.13
L'onglet Générales de la boîte de dialogue Options propose notamment des options relatives au format de page, à la résolution et à la reliure.

– **Confirmer la destination d'un fichier PDF** oblige le programme à vous demander où le fichier PDF doit être enregistré (Windows uniquement).

– **Confirmer le remplacement d'un fichier PDF** affiche un message d'avertissement lorsque vous risquez d'écraser un fichier PDF par un fichier du même nom (Windows uniquement).

– **Visualiser le fichier PDF généré à l'aide de Distiller** affiche automatiquement le fichier PDF dès que Distiller a terminé son travail (Windows uniquement).

Modification des options

Acrobat Distiller propose de nombreuses options relatives à la façon dont les fichiers Distiller sont traités.

Modifier les options de Distiller

1. Choisissez Options dans le menu Configuration (Ctrl + J / Cmd + J) [voir Figure 4.12].

   La boîte de dialogue Options s'affiche (voir Figure 4.13). Elle contient des options générales et des options avancées, ainsi que des options destinées à modifier la compression, les polices et les couleurs.

2. Sélectionnez la catégorie d'options que vous souhaitez modifier en cliquant sur l'onglet approprié.

3. Lorsque vous avez terminé, cliquez sur OK pour valider les changements.

4. Cliquez sur le bouton Enregistrer sous pour enregistrer un fichier de configuration personnalisé que vous pourrez réutiliser ultérieurement.

   Le fichier s'affichera dans le menu déroulant Option de la fenêtre principale de Distiller.

Options générales

Les options générales permettent de spécifier, pour des raisons de compatibilité, des paramètres de fichier et de périphérique, ainsi que la version d'Acrobat.

- **Compatibilité** peut être modifié pour permettre aux utilisateurs d'Acrobat Reader 3.0 ou 4.0 d'ouvrir les fichiers PDF. Cependant, étant donné qu'Acrobat Reader 5.0 est gratuit est que les fichiers dans ce format sont plus légers, il est en général conseillé de sélectionner Acrobat 5.0 pour cette option.

- **Optimiser pour l'affichage Web rapide** permet au programme de créer des documents plus légers pour en accélérer le téléchargement. Cette option restructure également les données de manière que le document puisse être chargé page par page.

- **Incorporer les vignettes** crée une vignette d'aperçu pour chaque page du document PDF. Même si vous désactivez cette option, Acrobat ajoute automatiquement des vignettes au document PDF lorsque vous ouvrez la palette Vignettes, ce qui augmente la taille du fichier.

- **Rotation auto. des pages : collective par fichier ou individuelle** fait automatiquement pivoter les pages en fonction de l'orientation du texte.

- **Pages** permet de convertir toutes les pages du fichier ou uniquement la plage de pages sélectionnée.

- **Reliure** détermine si le fichier PDF doit être affiché avec une reliure à gauche ou à droite lorsque l'on utilise le mode Continue – Page double.

- **Résolution** émule la résolution d'une imprimante. Laissez ce paramètre inchangé à moins de connaître précisément l'imprimante avec laquelle vous comptez travailler. La plage de résolutions proposées va de 72 à 4 000 ppp.

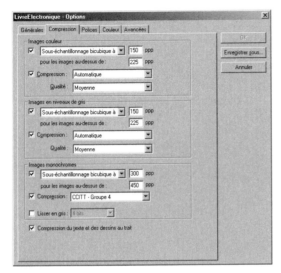

Figure 4.14
Choisissez une méthode de compression
et de rééchantillonage dans l'onglet
Compression de la boîte de dialogue Options.

Choisissez une résolution de sortie adaptée à la résolution de l'imprimante qui sera utilisée. Si vous envoyez vos fichiers dans une imprimerie et non sur votre imprimante de bureau, vous devrez sans doute utiliser une résolution élevée. Pour les imprimantes jet d'encre et les petites imprimantes laser, une résolution de 300 ppp suffit généralement. Pour une publication professionnelle, on utilise en principe une résolution de 600 à 2 400 ppp.

- **Format de page par défaut** permet de déterminer les dimensions de la page du fichier converti. Vous pouvez saisir une valeur en points, en picas, en pouces ou en centimètres. Le programme utilisera cette valeur que si le fichier PostScript ne contient pas d'indication sur la taille des pages.

Options de compression

L'onglet Compression contient trois grandes sections : Images couleurs, Images en niveaux de gris et Images monochromes (voir Figure 4.14). Les différentes options permettent de contrôler comment les différents types d'images sont traités de manière à occuper le moins de place possible dans le document PDF final. La plupart de ces options sont très pointues et dépassent le cadre de cet ouvrage ; consultez votre assistance technique ou vos contacts chez les imprimeurs avant de modifier les paramètres par défaut.

La réduction de la taille des images du fichier met en œuvre deux procédés : le rééchantillonage et la compression.

- **Le rééchantillonage** consiste à modifier la dimension des pixels d'une image. Acrobat n'autorise que le sous-échantillonage qui réduit le nombre de pixels d'un document. (Il n'est pas possible de suréchantilloner, comme c'est le cas dans Photoshop.) Lorsque des pixels sont supprimés, il faut procéder à une interpolation pour adoucir les transitions entre les pixels restants. Acrobat propose trois types d'interpolations.

  - **Interpolation** crée une couleur de pixel moyenne en fonction d'un échantillon et utilise cette couleur pour remplacer les pixels manquants.

– **Sous échantillonnage bicubique** utilise une moyenne pour déterminer la nouvelle couleur à utiliser. Cette option produit les meilleurs résultats, mais elle demande également les plus longs temps de calcul.

– **Echantillonnage** choisit un pixel au centre d'une zone d'échantillon et remplace l'ensemble des couleurs de la zone par la couleur sélectionnée.

– **Compression** indique au programme quel format de compression adopter.

– **Automatique** permet à Acrobat de choisir le niveau de compression optimal en fonction des images utilisées. Ce mode produit d'excellents résultats avec la plupart des documents.

– **JPEG** est un mode utile pour les images couleur ou en niveaux de gris, mais il entraîne des pertes : les images vont perdre certaines informations, ce qui peut entraîner une légère dégradation de leur qualité.

– **Zip** est le mode de compression qui provoque le moins de pertes (sauf dans certains cas particuliers). Il fonctionne bien avec des images disposant de grands aplats de couleurs uniformes et avec les images en noir et blanc.

– CCITT – **groupe 4** dans la section Images monochromes est particulièrement bien adapté aux images en noir et blanc pur.

Figure 4.15
L'onglet Polices permet de gérer l'incorporation
des polices.

– **Lisser en gris** lisse les bords des graphismes monochromes. Le menu déroulant permet de définir combien de niveaux de gris seront pris en compte pour le lissage. Si vous choisissez une valeur trop élevée, vous risquez de vous retrouver avec une image floue.

ⓘ Info

Les cases à cocher de rééchantillonage et de compression sont sélectionnées par défaut. Il est recommandé d'utiliser ces options si vous êtes sûr que le document PDF ne sera affiché que sur écran (et non imprimé). Sous-échantillonage bicubique est le type de compression par défaut pour les livres électroniques et les tâches d'impression. Interpolation est le mode par défaut pour le mode Ecran.

Options de police

Si un document PDF est ouvert et lu sur un ordinateur qui ne possède pas les polices qui ont été utilisées pour le créer, Acrobat procède à une substitution de polices. Les polices de remplacement peuvent correspondre à la métrique (hauteur, largeur, etc.) des polices d'origine, mais elles vont modifier l'aspect global du document.

Pour éviter ce genre de problème, vous pouvez demander à Distiller d'incorporer les polices dans le document PDF.

L'onglet Polices de la boîte de dialogue Options offre plusieurs options (voir Figure 4.15) :

• **Incorporer toutes les polices** incorpore automatiquement toutes les polices quel que soit le contenu des listes Toujours incorporer et Ne jamais incorporer. La liste des polices incorporables est affichée dans la zone Incorporation.

• **Jeu partiel de police lorsque le pourcentage de caractère est inférieur à** examine chaque police utilisée dans le document. Si moins de 35 % des caractères d'une police sont utilisés, seuls ces caractères seront incorporés et non l'intégralité de la police. Cette option permet de réduire la taille des fichiers PDF de façon substantielle. Vous pouvez modifier le pourcentage de caractères en saisissant une valeur dans le champ.

• **Si l'incorporation échoue** offre trois possibilités : Ignorer, Avertir et poursuivre et Annuler le travail.

ⓘ Info

Les restrictions de licence de certaines polices empêchent leur incorporation dans des documents PDF. Les polices ainsi protégées sont identifiées par un petit cadenas en face de leur nom dans la liste Incorporation.

Options de couleur

Les options de l'onglet Couleur (voir Figure 4.16) correspondent aux paramètres par défaut pour l'affichage à l'écran. Si vous envisagez d'imprimer un document PDF, commencez par choisir Impression ou Presse dans le menu Option du panneau principal de Distiller. Consultez votre partenaire prépresse pour plus d'informations sur les paramètres spécifiques.

ⓘ Info

La gestion des couleurs est un sujet complexe qui dépasse le cadre de cet ouvrage. Reportez-vous à l'aide d'Acrobat pour plus d'informations.

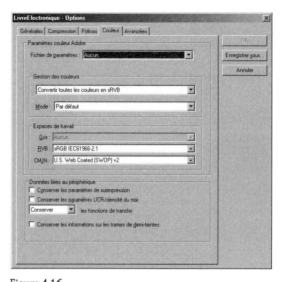

Figure 4.16
L'onglet Couleur permet de choisir la façon de traiter la conversion des couleurs.

Quand incorporer des polices ?

Lors de la création d'un document PDF vous avez la possibilité d'y incorporer des polices. Dans 90 % des cas, vous choisirez d'incorporer des polices à moins que vous ne privilégiiez la réduction de la taille du fichier (pour un affichage sur le Web, par exemple).

Incorporez toujours les polices lorsque :

• le document est utilisé comme épreuve pour vérifier son apparence ;

• le document contient du texte, comme dans un logo, qui doit apparaître dans une police donnée ;

• le document PDF sera utilisé en remplacement du document d'origine ;

• le document sera envoyé à une imprimerie.

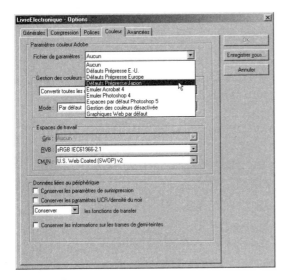

Figure 4.17
Le menu Fichier de paramètres propose de
nombreux modes de configuration des couleurs.

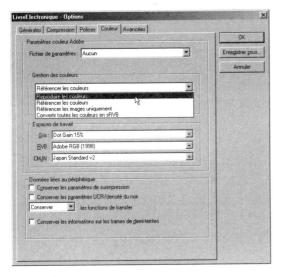

Figure 4.18
Les options du menu Gestion des couleurs permettent
d'indiquer à Distiller comment gérer les couleurs.

- **Fichier de paramètres** permet de choisir un mode de traitement des couleurs pour le futur document PDF (voir Figure 4.17). Lorsque vous sélectionnez un paramètre (en dehors de Aucun et de Gestion des couleurs désactivée), Acrobat sélectionne automatiquement une série de paramètres par défaut.

   Lorsque vous choisissez le paramètre Aucun, Distiller utilise les informations contenues dans le fichier PostScript pour gérer les couleurs. Vous pouvez alors utiliser les options Gestion des couleurs et Espace de travail pour déterminer comment Distiller doit convertir les couleurs qui ne sont pas prises en charge par le fichier PostScript.

- Les paramètres **Gestion des couleurs** (voir Figure 4.18) changent en fonction du niveau de compatibilité sélectionné dans l'onglet Générales. Lorsque vous choisissez Acrobat 4.0 ou 5.0, vous pouvez incorporer un profil ICC dans le document PDF, ce qui rend les couleurs indépendantes des périphériques sur lesquelles elles seront traitées. Si vous avez choisi Acrobat 3.0, vous ne pouvez pas incorporer de profil, mais les espaces colorimétriques dépendant du périphérique sont convertis en espaces colorimétriques indépendants.

   Si vous choisissez une option autre que Reproduire les couleurs, vous devrez choisir une option Espace de travail pour chaque espace colorimétrique. La zone Espaces de travail permet de configurer les trois espaces colorimétriques : Gris, RVB et CMJN.

- Le menu **Mode** propose cinq options : Par défaut, Perception, Saturation, Colorimétrie absolue et Colorimétrie relative.

- **Conserver les paramètres de surimpression** permet de conserver les paramètres de surimpression lors de la conversion des fichiers.

- **Conserver les paramètres UCR/densité du noir** réduit la quantité de couleurs utilisée pour contrebalancer la création de noir pour l'impression sur papier journal ou sur papier non couché.

- **Conserver les fonctions de transfert** conserve les fonctions de transfert utilisées pour contrebalancer l'ajout ou la perte de points produit par la conversion du fichier. Les options disponibles sont Conserver, Supprimer ou Appliquer.

- **Conserver les informations sur les trames de demi-teintes** permet de conserver les informations sur les trames de demi-teintes dans les fichiers convertis.

Options avancées

L'onglet Avancées (voir Figure 4.19) contient plusieurs paramètres qui n'ont d'intérêt que si vous envisagez d'imprimer un fichier PDF à un moment donné.

Les paramètres représentés dans la Figure 4.19 sont les meilleurs si le fichier est conçu uniquement pour être affiché à l'écran. La présentation détaillée de ces options dépasse le propos de ce livre et fait appel à des connaissances avancées sur le langage PostScript.

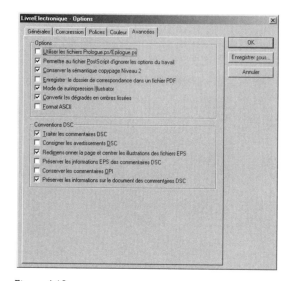

Figure 4.19
L'onglet Avancées propose plusieurs options relatives à l'impression de fichiers.

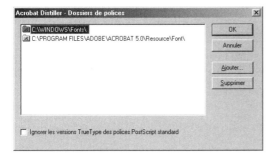

Figure 4.20
La boîte de dialogue Dossiers de polices.

Modification de l'emplacement des polices

Acrobat Distiller cherche les polices dans le dossier standard de police ou dans un répertoire de votre ordinateur. Si vous utilisez un logiciel de gestion de polices, comme ATM Deluxe, vos polices se trouveront peut-être à plusieurs emplacements. Dans ce cas, vous devrez désigner ces différents emplacements de manière à ce que Distiller sache où trouver les polices.

Modifier l'emplacement des polices

1. Choisissez Dossiers de polices dans le menu Configuration (Ctrl + L / Cmd + L).

   La boîte de dialogue Dossiers des polices s'affiche (voir Figure 4.20).

2. Supprimez les emplacements de polices incorrects en les sélectionnant et en cliquant sur le bouton Supprimer.

3. Ajoutez un dossier nouveau dossier à la liste en cliquant sur le bouton Ajouter, puis en sélectionnant le dossier à ajouter.

   Le nouveau dossier s'affichera dans la liste des dossiers.

Automatisation de Distiller

Vous pouvez configurer Distiller pour qu'il convertisse automatiquement les fichiers Post-Script en fichiers PDF. Si vous êtes sur un réseau avec un serveur, le serveur est l'emplacement idéal pour installer et configurer Distiller dans cette optique.

Deux étapes sont nécessaires pour automatiser Distiller. Commencez par lancer l'application Distiller et placez ensuite les fichiers PostScript dans un dossier de contrôle dans lequel Distiller pourra aller piocher.

Distiller peut être configuré pour aller chercher des fichiers dans un dossier donné. Si vous avez un dossier configuré en tant que dossier de contrôle, le programme convertira automatiquement les fichiers PostScript en fichiers PDF.

Créer un dossier de contrôle

1. Dans Distiller, choisissez Dossiers de contrôle dans le menu Configuration (Ctrl + F / Cmd + F) [voir Figure 4.21].

   La boîte de dialogue Dossiers de contrôle s'affiche (voir Figure 4.22).

2. Cliquez sur le bouton Ajouter pour activer la boîte de dialogue Rechercher un dossier.

3. Sélectionnez le dossier que vous souhaitez transformer en dossier de contrôle et cliquez sur OK (voir Figure 4.23).

4. Cliquez sur OK dans la boîte de dialogue Dossiers de contrôle.

Désormais, lorsque Distiller sera exécuté, tous les fichiers PostScript placés dans le dossier de contrôle seront convertis en fichiers PDF.

① Info

Distiller ne peut pas convertir les fichiers en lecture seule.

Sécurisation des documents PDF

Il est possible de configurer Distiller pour qu'il sécurise tous les fichiers PDF qu'il crée. Vous pouvez mettre en place une protection contre la modification ou l'impression et même définir un mot de passe pour l'ouverture.

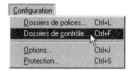

Figure 4.21
Choisissez Dossiers de contrôle dans le menu Configuration.

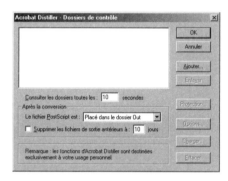

Figure 4.22
La boîte de dialogue Dossiers de contrôle permet de sélectionner les dossiers que Distiller doit traiter.

Figure 4.23
Sélectionnez un dossier et cliquez sur OK.

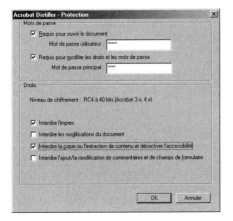

Figure 4.24
La boîte de dialogue Protection permet de
mettre en place des mots de passe et des droits.

Sécuriser les documents PDF

1. Dans Distiller, choisissez Protection dans le
    menu Configuration (Ctrl + S / Cmd + S).

    La boîte de dialogue Protection s'affiche
    (voir Figure 4.24).

2. Choisissez les fonctions de sécurité que vous
    souhaitez ajouter aux documents PDF et
    cliquez sur OK.

Les fonctions de protections sont réparties en
deux catégories : Mot de passe et Droit.

Vous pouvez appliquer deux types de mots de
passe aux documents Acrobat : un mot de passe
utilisateur, qui permet à un utilisateur d'ouvrir
un fichier PDF et un mot de passe principal qui
permet à l'utilisateur de modifier les paramètres
de protection. Il n'est pas possible d'utiliser le
même mot de passe dans les deux cas.

Il existe par ailleurs plusieurs niveaux
d'autorisation :

- **Interdire l'impression** empêche les utilisateurs
  d'imprimer le fichier.

- **Interdire les modifications du document**
  empêche les utilisateurs de créer des champs
  de formulaire et d'apporter toute autre modification.

- **Interdire la copie ou l'extraction de contenu
  et désactiver l'accessibilité** empêche les utilisateurs de copier le texte et les graphiques,
  et désactive l'interface d'accessibilité.

- **Interdire l'ajout/la modification de commentaires et de champs de formulaire** empêche les
  utilisateurs d'ajouter ou de modifier ces zones.
  (Les utilisateurs sont autorisés à remplir ces
  champs.)

Autre technique de création de fichiers PDF

Il est possible de convertir des images, des fichiers texte ordinaires et des documents HTML en documents PDF en les ouvrant simplement dans Acrobat. Cette technique fonctionne avec les fichiers texte, avec les fichiers HTML et avec les images dans les formats suivants : BMP, GIF, JPEG, PCX, PICT (Mac OS uniquement), PNG et TIFF.

Ouvrir un fichier en tant que document PDF

1. Choisissez Ouvrir au format PDF dans le menu Fichier d'Acrobat pour afficher la boîte de dialogue Ouvrir.

2. Dans le menu, sélectionnez le type de fichier que vous voulez ouvrir.

3. Sélectionnez le fichier que vous voulez ouvrir au format PDF et cliquez sur Ouvrir.

4. Si un document est déjà ouvert, Acrobat vous demande si vous souhaitez Créer un nouveau document ou Ajouter le document au document actif (voir Figure 4.25). Choisissez une des deux options et cliquez sur OK.

   Le fichier s'ouvre au format PDF.

Ouvrir une page Web au format PDF

1. Choisissez Fichier > Ouvrir une page Web ou Outils > Capture Web > Ouvrir une page Web (Maj + Ctrl + O / Maj + Cmd + O).

   La boîte de dialogue Ouvrir une page Web s'affiche.

2. Saisissez l'URL du site Web que vous souhaitez charger (voir Figure 4.26).

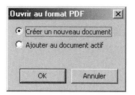

Figure 4.25
Choisissez comment ouvrir le nouveau fichier PDF.

Figure 4.26
La boîte de dialogue Ouvrir une page Web permet de choisir combien de niveaux de pages vous souhaitez convertir au format PDF.

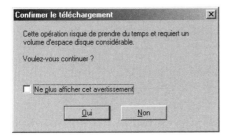

Figure 4.27
Cette boîte de dialogue vous avertit que le téléchargement de la page Web risque d'être lourd.

Figure 4.28
Choisissez les paramètres généraux du fichier PDF.

Figure 4.29
Choisissez la mise en page à appliquer.

3. Choisissez combien de niveaux de pages Acrobat doit charger.

Si vous activez l'option Télécharger le site entier, vous risquez de vous retrouver avec un très gros fichier PDF. Acrobat vous préviendra si le téléchargement est important Figure 4.27).

4. Cliquez sur Parcourir pour afficher les pages Web enregistrées sur votre disque dur.

5. Cliquez sur le bouton Options de conversion pour ajuster les paramètres généraux et de mise en page (voir Figures 4.28 et 4.29).

6. Cliquez sur le bouton Télécharger pour ouvrir la page Web au format PDF dans Acrobat.

ⓘ Info

Lorsque vous téléchargez une page Web au format PDF, elle peut contenir des liens vers d'autres pages. Lorsque vous placez la souris sur un lien, le pointeur se transforme en main accompagnée d'un signe + (voir Figure 4.30). Ce pointeur vous signale que vous pouvez ouvrir ce lien sous forme de document PDF dans Acrobat en cliquant dessus.

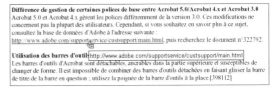

Figure 4.30
Les liens dans les documents PDF sont identifiés par un pointeur en forme de main accompagné d'un signe +.

Utiliser les liens Web

1. Dans le document actif, cliquez sur un lien.

2. Dans la boîte de dialogue Configurer un lien Web, choisissez si vous souhaitez ouvrir le lien avec Acrobat Reader ou avec votre navigateur Web (voir Figure 4.31).

   Si vous choisissez d'ouvrir les liens dans votre navigateur, le pointeur se transformera en main accompagnée d'un W (voir Figure 4.32).

3. Vous pouvez passer de l'ouverture des liens dans Acrobat à l'ouverture dans votre navigateur en appuyant sur la touche Maj.

4. Pour modifier définitivement ce paramètre, choisissez Edition > Préférences > Capture Web.

   La boîte de dialogue Préférences d'Adobe Web capture s'ouvre (voir Figure 4.33).

5. Choisissez l'option qui vous intéresse dans le menu Ouvrir les liens Web.

Création de documents PDF dans d'autres applications

Vous pouvez générer des documents PDF depuis des applications autres qu'Acrobat sans avoir à enregistrer au préalable les fichiers au format PostScript. Cependant, comme Distiller participe quand même au travail en arrière-plan, vous devrez disposer d'une copie complète d'Acrobat.

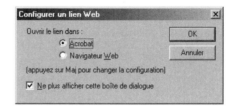

Figure 4.31
Choisissez comment ouvrir les liens Web.

Figure 4.32
Les pointeurs en forme de main accompagnés d'un symbole W indiquent que le lien sera ouvert dans un navigateur Web.

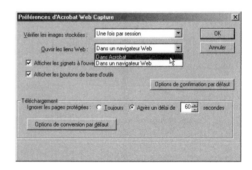

Figure 4.33
Choisissez la méthode d'ouverture des liens.

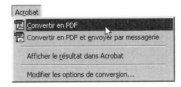

Figure 4.34
Choisissez Convertir en PDF pour transformer un document Office en fichier PDF.

Convertir des documents Microsoft Office au format PDF (Windows uniquement)

1. Ouvrez un document Office que vous souhaitez convertir.

2. Choisissez Acrobat > Convertir en PDF dans la barre de menus de l'application (voir Figure 4.34).

   La boîte de dialogue Enregistrer le fichier PDF sous s'affiche.

3. Choisissez un nom et sélectionnez l'emplacement où vous souhaitez enregistrer le fichier.

4. Cliquez sur Enregistrer.

① Info

Par défaut, Acrobat contient une macro appelée Acrobat PDFMaker 5.0 qui permet de convertir des documents au format PDF depuis Word, Excel et PowerPoint (version 97 et plus).

"Imprimer" un fichier PDF depuis une application (Windows uniquement)

1. Ouvrez le document que vous voulez convertir au format PDF.

2. Choisissez Fichier > Imprimer pour ouvrir la boîte de dialogue du même nom.

3. Choisissez Acrobat Distiller dans le menu Nom de la section Imprimante et activez les options dont vous avez besoin.

4. Cliquez sur OK.

   La boîte de dialogue Enregistrer le fichier PDF.

5. Choisissez un nom et sélectionnez l'emplacement où vous souhaitez enregistrer le fichier.

4. Cliquez sur Enregistrer.

Utiliser Créer Adobe PDF

Sur un Macintosh, vous pouvez utiliser la commande Imprimer dans la plupart des programmes pour convertir un document au format PDF. Mais avant cela, il faut commencer par créer une imprimante virtuelle appelée Créer Adobe PDF. Ce processus utilise le pilote d'impression AdobePS PostScript version 8.7 qui est installé avec Acrobat.

Générer le pilote Créer Adobe PDF (Mac uniquement)

1. Ouvrez le Sélecteur dans le menu Pomme.

2. Sélectionnez le pilote AdobePS (voir Figure 4.35).

3. Sélectionnez une des imprimantes PostScript listées dans le panneau de la partie droite du Sélecteur et cliquez sur le bouton Créer (voir Figure 4.36).

   Après un moment, l'icône de la nouvelle imprimante s'affiche sur votre bureau (voir Figure 4.37).

4. Fermez la fenêtre Sélecteur.

5. Dans l'application qui vous intéresse, choisissez la commande Configuration de l'impression dans le menu Fichier.

   La première fois que vous procédez à cette manipulation, le pilote d'imprimante AdobePS génère une autre imprimante appelée Créer Adobe PDF (voir Figure 4.38).

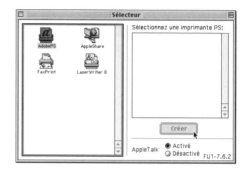

Figure 4.35
Pilote AdobePS dans le Sélecteur Macintosh.

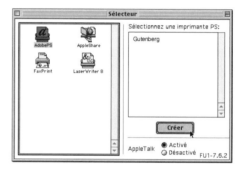

Figure 4.36
Cliquez sur Créer pour générer une nouvelle imprimante virtuelle.

Figure 4.37
L'imprimante apparaît sur votre bureau.

Figure 4.38
L'imprimante Créer Adobe PDF.

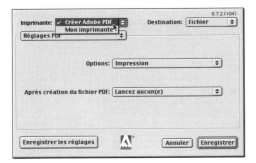

Figure 4.39
Choisissez Créer Adobe PDF dans la liste des imprimantes de la boîte de dialogue Imprimer.

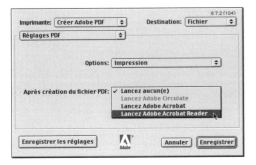

Figure 4.40
Choisissez l'action qui doit suivre la création du document PDF.

"Imprimer" avec Créer Adobe PDF (Mac uniquement)

1. Assurez-vous qu'AdobePS est sélectionné comme pilote d'imprimante dans le Sélecteur.

2. Dans l'application externe, choisissez Fichier > Imprimer.

3. Dans la boîte de dialogue Imprimer choisissez Créer Adobe PDF dans le menu Imprimante (voir Figure 4.39).

   Le menu Destination affiche automatiquement Fichier et le menu Options indique Réglages PDF.

4. Choisissez un paramètre dans le menu Options (les choix sont identiques à ceux proposés dans le menu principal d'Acrobat Distiller).

5. Choisissez une action dans le menu Après création du fichier PDF (voir Figure 4.40).

6. Cliquez sur Enregistrer.

   Une boîte de dialogue standard Enregistrer s'affiche. Choisissez où vous souhaitez enregistrer le fichier.

7. Cliquez à nouveau sur Enregistrer.

Production de documents PDF sans Acrobat sous Mac OS X

Acrobat propose un bonus pour les utilisateurs Macintosh intrépides qui ont effectué une mise à jour vers Mac OS X.

Le logiciel d'image 2D inclus avec Mac OS X qu'Apple a baptisé Quartz est basé sur le format PDF. Tous les programmes natifs Mac OS X peuvent donc imprimer et donc convertir directement des documents PDF. Voici comment procéder :

1. Lorsque votre document est ouvert, choisissez Fichier > Imprimer.

2. Dans la boîte de dialogue Imprimer, cliquez sur Aperçu (voir Figure 4.41).

   Cette action génère un fichier PDF à partir de votre document et l'affiche dans un programme d'aperçu.

3. Choisissez Fichier > Enregistrer sous PDF.

   La page Enregistrer sous s'affiche (voir Figure 4.42).

4. Nommez le fichier PDF et choisissez où vous souhaitez l'enregistrer.

5. Cliquez sur Enregistrer.

6. Ouvrez le fichier PDF dans Acrobat Reader 5.0 (application native Mac OS X) pour l'examiner (voir Figure 4.43).

ⓖ Astuce

Comment savoir si on se trouve dans une application native Mac OS X ? Vérifiez simplement que le programme affiche bien une interface translucide. Si les barres de menus sont en gris uni et que les fenêtres ressemblent à celles de Mac OS.9, vous êtes en mode classique et cette astuce ne fonctionnera pas.

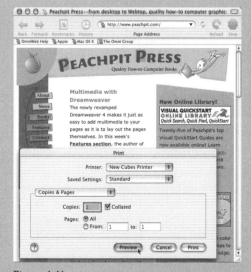

Figure 4.41
Cliquez sur Aperçu dans la boîte de dialogue Imprimer Mac OS X.

Figure 4.42
Enregistrez le format au format PDF et nommez-le.

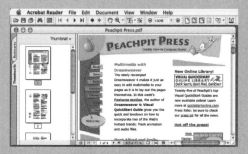

Figure 4.43
La page Web s'ouvre comme un fichier PDF.

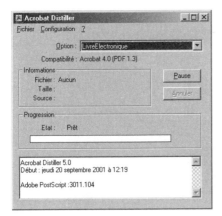

Figure 4.44
Choisissez Livre électronique dans le menu
Option de Distiller.

Figure 4.45
Nommez le fichier PDF et cliquez sur Enregistrer.

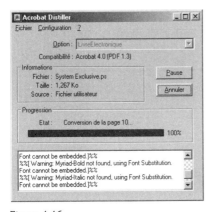

Figure 4.46
Distiller vous permet de suivre la progression du travail.

Création d'un livre électronique

Si vous avez toujours souhaité être publié, vous
n'avez plus à courir les maisons d'édition avec
vos manuscrits. Acrobat vous permettra de
transformer vos écrits en livres électroniques.
Pour cela, vous devez commencer par créer un
fichier .ps dans n'importe quelle application.

Créer un livre électronique à partir d'un fichier PDF

1. Pour créer un fichier PostScript, choisissez
   Imprimer dans le menu Fichier.

2. Dans la section Imprimante, cochez la case
   Imprimer dans un fichier. La boîte de dialogue Impression dans un fichier s'ouvre.

3. Nommez le fichier, choisissez l'emplacement
   où vous souhaitez le sauvegarder et cliquez
   sur OK.

4. Lancez Acrobat Distiller.

5. Choisissez Livre électronique dans le menu
   Option (voir Figure 4.44).

6. Choisissez Ouvrir dans le menu Fichier pour
   afficher la boîte de dialogue Ouvrir un fichier
   PostScript.

7. Sélectionnez le fichier .ps ou .prn et cliquez
   sur Ouvrir.

8. Donnez un nom au fichier PDF (voir
   Figure 4.45).

   La barre de progression indique l'avancement
   du travail.

9. Dans eBook Reader, choisissez Open File (voir Figure 4.47) ou File > Open PDF File.

10. Sélectionnez le fichier à ouvrir et cliquez sur Open. Le fichier s'affiche à l'écran sous forme de livre électronique (voir Figure 4.48).

ⓘ Info

Reportez-vous au Chapitre 3 pour plus d'informations sur l'utilisation des livres électroniques.

Figure 4.47
Dans eBook Reader, cliquez sur Open File pour ouvrir le fichier.

Figure 4.48
Le fichier s'affiche comme un livre électronique.

Travail avec Acrobat

Si vous connaissez Acrobat Reader, vous ne serez pas dépaysé en travaillant avec Acrobat. L'interface utilisateur est constituée des mêmes éléments de base et de quelques éléments nouveaux qui permettent de gérer les fonctions avancées du programme. On supposera donc dans ce chapitre que vous vous êtes familiarisé avec les bases de l'interface d'Acrobat Reader et l'on ne s'attachera qu'aux différences. Consultez les Chapitres 1 et 2 si vous avez besoin de vous rafraîchir la mémoire.

Acrobat vous permet de lire les fichiers PDF, mais aussi de modifier le texte et les images, d'ajouter des pages, des liens, de créer une structure de navigation et même d'insérer des éléments multimédias dans les fichiers PDF (sons, vidéo, transitions entre pages). Les fonctions les plus complexes seront étudiées dans les chapitres qui suivent.

Démarrage et arrêt d'Acrobat

Le lancement d'Acrobat ressemble à celui des autres programmes Mac ou Windows.

Démarrer Acrobat

- Localisez l'icône Acrobat et double-cliquez dessus (voir Figure 5.1).

  Pendant que le programme se lance, l'écran d'Acrobat s'affiche (voir Figure 5.2) et les plug-in se chargent.

Quitter Acrobat

- Choisissez Quitter dans le menu Fichier (Ctrl + Q / Cmd + Q).

  Tout document ouvert sera automatiquement fermé. Si des modifications ont été apportées à un document, une boîte de dialogue s'affiche pour vous demander si vous souhaitez enregistrer les modifications.

Figure 5.1
Double-cliquez sur l'icône Acrobat pour lancer le programme.

Figure 5.2
L'écran d'accueil s'affiche pendant le chargement du programme.

L'écran d'Acrobat

L'interface d'Acrobat est composée des mêmes éléments qu'Acrobat Reader : menus, barres d'outils et palettes, mais ils sont plus nombreux. La structure globale de la fenêtre d'Acrobat est la même que celle d'Acrobat Reader : un panneau de navigation à gauche, un panneau de document à droite et une barre d'état en bas (voir Figure 5.3).

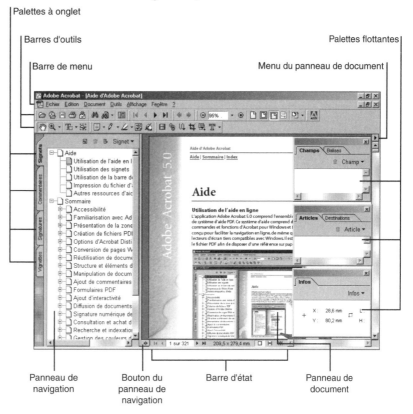

Figure 5.3
Ecran principal d'Acrobat 5.0.

Les barres d'outils Acrobat

Acrobat utilise les mêmes barres d'outils que
Acrobat Reader et en ajoute deux : Commentaire
et Modification. Heureusement, les barres
d'outils fonctionnent de la même façon dans les
deux applications.

- La barre d'outils **Fichier** (voir Figure 5.4)
  contient les outils qui permettent d'ouvrir et
  d'enregistrer des fichiers, d'y rechercher des
  mots, ainsi que des outils qui permettent de
  gérer les conversions et les envois par e-mail
  dans Acrobat.

- La barre d'outils **Commentaire** (voir Figure 5.5)
  contient des outils qui permettent de travailler
  en collaboration sur des fichiers PDF grâce à
  l'insertion de commentaires.

- Les outils de la barre **Modification**
  (voir Figure 5.6) permettent de modifier le
  contenu des fichiers PDF.

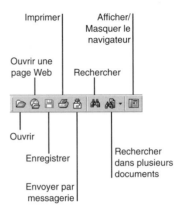

Figure 5.4
La barre d'outils Fichier contient les outils nécessaires
à la réalisation des fonctions de base dans Acrobat.

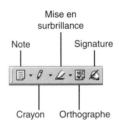

Figure 5.5
La barre d'outils Commentaire propose
plusieurs outils qui permettent de marquer
ou d'annoter vos documents.

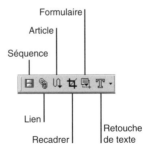

Figure 5.6
Les outils qui permettent de modifier les
documents ou de leur ajouter du contenu se
trouvent dans la barre d'outils Modification.

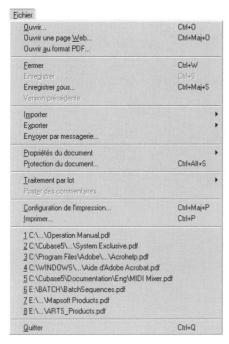

Figure 5.7
Le menu Fichier contient les commandes
les plus basiques d'Acrobat.

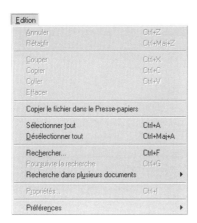

Figure 5.8
Les commandes du menu Edition permettent
de rechercher ou de modifier du texte, et de
définir les préférences d'Acrobat.

Les menus d'Acrobat

Acrobat présente les mêmes menus qu'Acrobat
Reader, mais chaque menu dispose de commandes plus nombreuses.

- Le menu **Fichier** (voir Figure 5.7) permet de
  gérer les opérations de base sur les fichiers,
  comme l'ouverture, la fermeture, l'impression
  et des paramètres propres aux documents.

- Le menu **Edition** (voir Figure 5.8) contient des
  commandes de base pour l'adition dont les
  commandes Copier, Couper et Coller, ainsi
  que des commandes de recherche qui permettent de localiser des mots dans un document
  PDF.

- Le menu **Document** (voir Figure 5.9) permet
  de passer d'une page à l'autre, d'un document
  à un autre ou d'effectuer une restructuration
  simple d'un document.

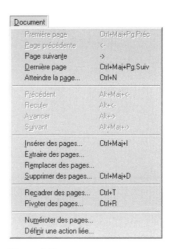

Figure 5.9
Le menu Document contient des commandes qui
permettent de naviguer dans un document PDF.

- Le menu **Outils** (voir Figure 5.10) contient la plupart des commandes avancées d'Acrobat.

- Le menu **Affichage** (voir Figure 5.11) permet d'ajuster l'affichage du document, qu'il s'agisse de zoom, de nombre de pages, d'orientation, d'espace colorimétrique et de polices.

- Les commandes du menu **Fenêtre** (voir Figure 5.12) permet de personnaliser votre espace de travail. Vous pouvez choisir le document qui s'affichera au premier plan, mais aussi les palettes et les barres d'outils.

- Le menu **Aide** (voir Figure 5.13) permet d'accéder à l'aide d'Acrobat (qui est un énorme document PDF), à l'assistance en ligne et à un guide JavaScript pour Acrobat. Ces menus diffèrent légèrement entre les versions Macintosh et Windows.

① Info

Le menu Fenêtre sous Macintosh ne contient pas la commande Afficher le Presse-papiers. A la place, utilisez la commande Afficher le Presse-papiers dans le menu Edition du Finder.

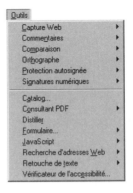

Figure 5.10
Le menu Outils contient de nombreuses fonctions avancées.

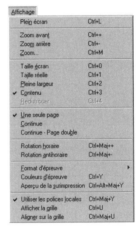

Figure 5.11
Le menu Affichage permet de configurer l'affichage des documents à l'écran.

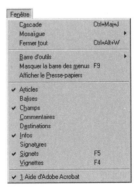

Figure 5.12
Le menu Fenêtre permet de choisir quels éléments afficher sur l'espace de travail d'Acrobat.

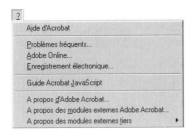

Figure 5.13
Le menu Aide (?) donne accès
au fichier d'aide d'Acrobat.

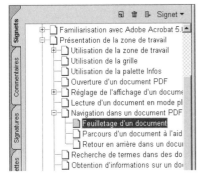

Figure 5.14
Cliquez sur un signet dans la palette Signets
pour atteindre un point donné du document.

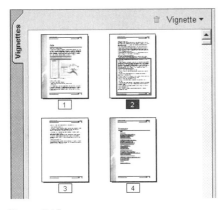

Figure 5.15
La palette Vignettes contient des petites images
qui représentent les pages du document.

Les palettes d'Acrobat

Les palettes d'Acrobat fonctionnent comme les
palettes d'Acrobat Reader, mais elles sont plus
nombreuses. Le panneau de navigation contient
les palettes à onglet Signets et Vignettes, mais
aussi les palettes Signatures et Commentaires.
Des commandes dans les menus des palettes
permettent d'en modifier le contenu. Il existe
cinq autres palettes flottantes, mais elles sont
invisibles par défaut : Articles, Destinations,
Champs, Balises et Info.

- La palette Signets affiche les signets que
  l'auteur du document a insérés dans le document PDF (voir Figure 5.14). Cliquez sur un
  signet pour atteindre directement le point correspondant dans le document. Pour plus
  d'informations, consultez le Chapitre 6.

- La palette Vignettes affiche de petites images
  pour chaque page du document (voir
  Figure 5.15). Vous pouvez atteindre une page
  rapidement en cliquant sur sa vignette. Vous
  pouvez ajouter, supprimer des pages ou modifier leur ordre en agissant directement sur les
  vignettes. Il sera question des vignettes plus en
  détail dans le Chapitre 6.

- La palette **Commentaires** affiche la liste des commentaires et des annotations que l'auteur a insérés dans le texte (voir Figure 5.16).

- La palette **Signatures** montre les signatures numériques qui ont été ajoutées au document (voir Figure 5.17). La palette affiche également une alerte si un document signé a été modifié depuis sa signature.

- La palette **Articles** présente les articles définis par l'auteur du document (voir Figure 5.18). Double-cliquez sur un article pour le lire depuis le début.

- La palette **Destinations** montre les destinations qui ont été définies dans le document (voir Figure 5.19). Les *destinations* sont des liens d'un document vers un autre. Double-cliquez sur une destination pour atteindre la zone ciblée.

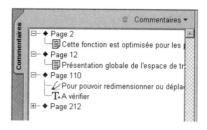

Figure 5.16
La palette Commentaires affiche tous les commentaires éditoriaux apportés au document.

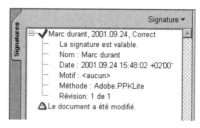

Figure 5.17
La palette Signatures montre des informations sur le signataire du document et vous avertit si des modifications ont été effectuées depuis la signature.

Figure 5.18
La palette Articles montre les articles définis dans le document.

Figure 5.19
La palette Destinations montre les liens qui ont été établis entre plusieurs documents.

Figure 5.20
Les champs de formulaire apparaissent dans la palette Champs.

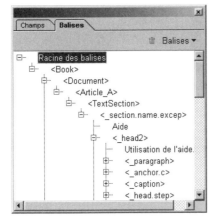

Figure 5.21
La palette Balises est utile pour modifier la structure d'un document.

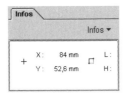

Figure 5.22
La palette Info montre l'emplacement du pointeur de la souris.

• La palette **Champs** affiche tous les champs de formulaire qui ont été définis dans le document (voir Figure 5.20).

• La palette **Balises** affiche l'arborescence structurelle logique d'un document PDF balisé (voir Figure 5.21). Un document PDF contient des informations détaillées sur sa structure. Vous pouvez utiliser cette palette pour revoir la structure d'un document ou modifier du texte.

• La palette **Info** montre la position du pointeur de la souris par rapport au coin supérieur gauche du document (voir Figure 5.22). Si vous effectuez une sélection (lorsque vous sélectionnez du texte ou une image ou que vous définissez un champ de formulaire, par exemple), la palette affiche également les dimensions de cette sélection. Choisissez l'unité de mesure qui vous convient dans le menu de la palette (point, pouce ou millimètre).

ⓘ Info

La personnalisation et le déplacement des palettes fonctionnent exactement comme dans Acrobat Reader.

Ouverture de fichiers PDF

L'ouverture et la fermeture de fichiers PDF est simple. Vous pouvez ouvrir un fichier qu'Acrobat s'exécute ou non.

Ouvrir un fichier PDF

- Choisissez Ouvrir dans le menu Fichier (Ctrl + O / Cmd + O) pour afficher la boîte de dialogue Ouvrir. Sélectionnez le fichier PDF qui vous intéresse et cliquez sur le bouton Ouvrir (voir Figure 5.23).

    ou

- Faites glisser le fichier PDF que vous souhaitez ouvrir sur l'icône de l'application Acrobat.

    ou

- Double-cliquez sur l'icône du fichier.

Fermer un fichier PDF

- Choisissez Fermer dans le menu Fichier (Ctrl + W / Cmd + W).

    ou

- Cliquez sur le bouton de fermeture de la fenêtre principale.

Figure 5.23

Sélectionnez le fichier que vous souhaitez ouvrir et cliquez sur Ouvrir.

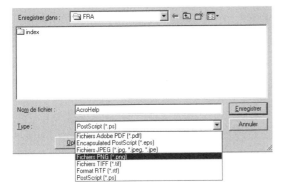

Figure 5.24
Dans le menu, choisissez le format
de fichier qui vous convient.

Enregistrement de fichiers PDF dans d'autres formats

Avec Acrobat 5.0, il est facile de réutiliser le contenu de vos fichiers PDF dans d'autres programmes. Vous pouvez enregistrer les fichiers PDF dans les formats suivants :

- **Encapsulated PostScript** (*.EPS) est le format le plus adapté si vous comptez réutiliser le fichier dans un document avec mise en page.

- **PostScript** (*.PS) préserve toutes les informations de structure et les autres paramètres encodés par Distiller. Les fichiers PostScript peuvent être imprimés sur des imprimantes haute résolution.

- **JPEG**, **PNG** et **TIFF** convertissent chaque page en fichier image séparé. Une fois converti en image, le texte n'est plus modifiable.

- **Rich Text Format** (*.RTF) permet de réutiliser le texte du document dans un traitement de texte. Toutes les images seront perdues dans ce format.

Enregistrer un fichier PDF dans un autre format

1. Choisissez Enregistrez sous dans le menu Fichier (Maj + Ctrl + S / Maj + Cmd + S).

2. Dans la boîte de dialogue Enregistrer sous, choisissez le format qui vous convient dans le menu (voir Figure 5.24).

3. Cliquez sur le bouton Options pour modifier les paramètres propres au format du fichier (reportez-vous à la documentation d'Acrobat pour plus de détails).

4. Entrez un nom dans la zone de texte et cliquez sur Enregistrer.

Modification du texte

Une fois qu'un texte, quel qu'il soit, est ouvert, vous pouvez le modifier dans Acrobat à l'aide de l'outil Retouche de texte. Cet outil ne doit pas être confondu avec l'outil Texte. Ce dernier permet de sélectionner du texte uniquement pour le copier et le coller dans un document dans une nouvelle application.

Modifier le texte avec l'outil Retouche de texte

1. Sélectionnez l'outil Retouche de texte dans la barre d'outils Modification ou appuyez sur la touche T (voir Figure 5.25).

2. Cliquez sur du texte dans un document PDF. Un cadre apparaît autour de la ligne de texte.

3. Sélectionnez le texte à modifier dans le cadre en utilisant la souris (voir Figure 5.26).

4. Remplacez le texte sélectionné en tapant un nouveau texte.

Supprimer du texte

1. Activez l'outil Retouche de texte dans la barre d'outils Modification (T).

2. Cliquez sur le texte dans le document PDF. Un cadre apparaît autour du texte.

3. Sélectionnez le texte à modifier dans le cadre en utilisant la souris.

4. Appuyez sur la touche Retour arrière/Suppr.

ⓢ Astuce

Pour sélectionner un seul mot, double-cliquez sur celui-ci ; pour sélectionner toute la ligne de texte, cliquez trois fois dessus.

Vous pouvez également utiliser l'outil Retouche de texte pour modifier les attributs typographiques d'une ligne de texte.

Figure 5.25

Choisissez l'outil Retouche de texte dans la barre Modification.

Pour afficher un groupe de commentaires sélectionné uniquement :

1 Choisissez Outils > Commentaires > Filtrer.

2 Désélectionnez les types de commentaires que vous ne souhaitez pas afficher en cliquant sur les cases à cocher correspondantes. Les commentaires sont activés ou désactivés selon la sélection.

3 Choisissez une option dans le menu déroulant Date. Vous identifiez ainsi les commentaires auxquels s'appliquent les filtres en fonction de la date d'ajout des commentaires.

Figure 5.26

Sélectionnez le texte à modifier.

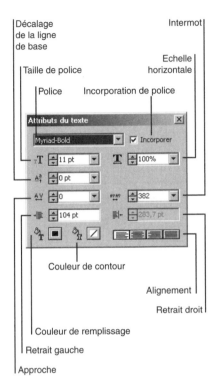

Décalage
de la ligne
de base

Intermot

Echelle
horizontale

Taille de police

Police   Incorporation de police

Couleur de contour

Alignement

Retrait droit

Couleur de remplissage

Retrait gauche

Approche

Figure 5.27

Vous pouvez modifier la plupart des attributs
de texte depuis cette boîte de dialogue.

Modifier les attributs d'un texte

1. Activez l'outil Retouche de texte dans la barre
   d'outils Modification (T).

2. Cliquez n'importe où dans la ligne qui
   contient le texte que vous souhaitez modifier.
   Un cadre s'affiche autour du texte.

3. Choisissez Outils > Retouche de texte >
   Attributs du texte pour afficher la boîte de
   dialogue du même nom (voir Figure 5.27).

   Vous pouvez utiliser cette boîte de dialogue
   pour appliquer les options suivantes au texte
   sélectionné :

   – **Police** contient la liste de toutes les polices
     installées sur votre système ou incorpo-
     rées dans le fichier PDF.

   – **Incorporer** permet de spécifier si vous
     souhaitez incorporer les polices dans le
     document PDF.

   – **Taille de police** permet de choisir une taille
     de police qui peut aller de 6 à 72 points.

   – **Echelle horizontale** permet de définir le
     rapport entre la largeur et la hauteur de la
     police.

   – **Décalage de la ligne de base** permet de
     définir le décalage vertical du texte par
     rapport à une ligne de base (ligne fictive
     sur laquelle reposent les caractères).

   – **Approche** permet de modifier l'espace
     entre deux ou plusieurs caractères.

   – **Intermot** permet de modifier l'espace
     entre deux ou plusieurs mots.

   – **Retrait à droite ou Retrait à gauche** permet
     de définir la distance (en points) de retrait
     du texte par rapport aux marges.

   – **Couleur de remplissage** et **Couleurs de
     contour** permet de modifier les attributs
     de couleurs du texte.

   – **Alignement du texte** permet de choisir
     entre un alignement à droite, à gauche,
     centré ou une justification.

Déplacer une ligne de texte horizontalement

1. Activez l'outil Retouche de texte dans la barre d'outils Modification (T).

2. Cliquez sur le texte dans le document PDF. Un cadre avec de petits carrés à gauche apparaît autour du texte (voir Figure 5.26).

3. Vous pouvez déplacer le texte à droite ou à gauche en cliquant sur les petits carrés du cadre.

   Les petits carrés disparaissent pendant le déplacement (voir Figure 5.28).

Si vous souhaitez déplacer du texte, utilisez l'outil Retouche d'objet, mais faites attention, car cet outil fonctionne uniquement sur des paragraphes entiers.

Déplacer un bloc de texte avec l'outil Retouche d'objet

1. Activez l'outil Retouche d'objet dans la barre de menus Modification (Maj + T).

2. Cliquez sur le paragraphe que vous souhaitez déplacer.

   Un rectangle bleu apparaît autour du paragraphe (voir Figure 5.29). Vous pouvez sélectionner plus d'un paragraphe en utilisant la combinaison Maj + clic.

3. Faites glisser le texte vers un nouvel emplacement (voir Figure 5.30).

ⓘ Info

Faites attention, si vous faites glisser un bloc de texte sur un autre, le texte qui se trouve dessous ne se déplace pas pour faire de la place au nouveau venu. Le texte se superpose simplement (voir Figure 5.31).

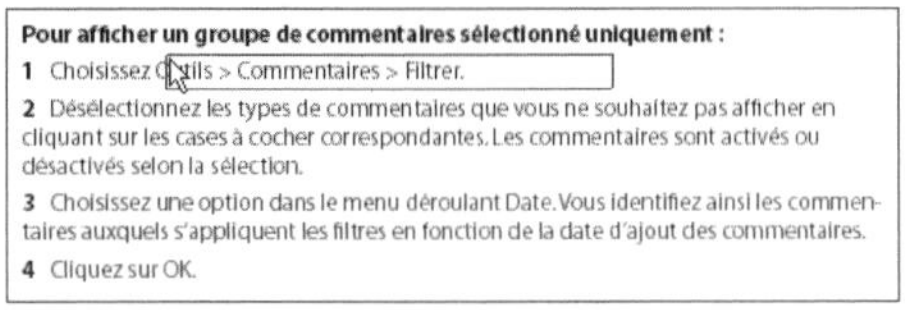

Pour afficher un groupe de commentaires sélectionné uniquement :
1 Choisissez Outils > Commentaires > Filtrer.
2 Désélectionnez les types de commentaires que vous ne souhaitez pas afficher en cliquant sur les cases à cocher correspondantes. Les commentaires sont activés ou désactivés selon la sélection.
3 Choisissez une option dans le menu déroulant Date. Vous identifiez ainsi les commentaires auxquels s'appliquent les filtres en fonction de la date d'ajout des commentaires.
4 Cliquez sur OK.

Figure 5.28
Cliquez sur le cadre pour faire glisser le bloc de texte horizontalement.

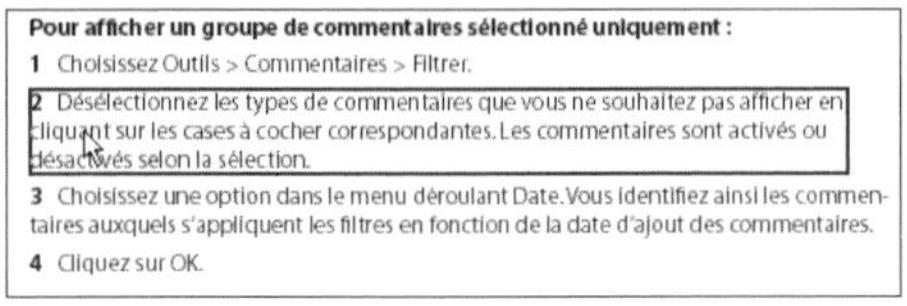

Pour afficher un groupe de commentaires sélectionné uniquement :
1 Choisissez Outils > Commentaires > Filtrer.
2 Désélectionnez les types de commentaires que vous ne souhaitez pas afficher en cliquant sur les cases à cocher correspondantes. Les commentaires sont activés ou désactivés selon la sélection.
3 Choisissez une option dans le menu déroulant Date. Vous identifiez ainsi les commentaires auxquels s'appliquent les filtres en fonction de la date d'ajout des commentaires.
4 Cliquez sur OK.

Figure 5.29
Cliquez sur le rectangle bleu autour du texte pour le déplacer.

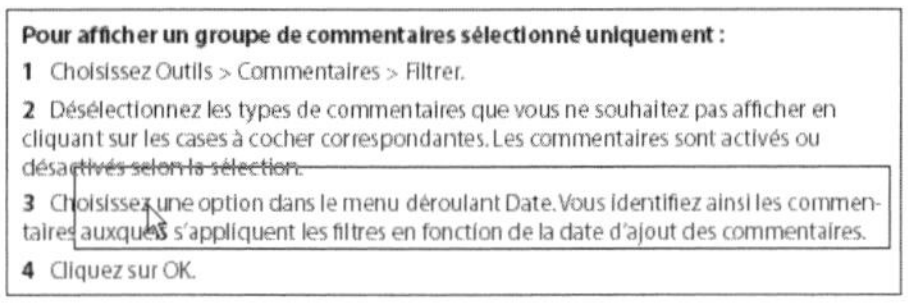

Pour afficher un groupe de commentaires sélectionné uniquement :
1 Choisissez Outils > Commentaires > Filtrer.
2 Désélectionnez les types de commentaires que vous ne souhaitez pas afficher en cliquant sur les cases à cocher correspondantes. Les commentaires sont activés ou désactivés selon la sélection.
3 Choisissez une option dans le menu déroulant Date. Vous identifiez ainsi les commentaires auxquels s'appliquent les filtres en fonction de la date d'ajout des commentaires.
4 Cliquez sur OK.

Figure 5.30
Déplacez le texte où bon vous semble.

Pour afficher un groupe de commentaires sélectionné uniquement :
1 Choisissez Outils > Commentaires > Filtrer.
2 Désélectionnez les types de commentaires que vous ne souhaitez pas afficher en
3 Choisissez une option dans le menu déroulant Date. Vous identifiez ainsi les commentaires auxquels s'appliquent les filtres en fonction de la date d'ajout des commentaires.
4 Cliquez sur OK.

Figure 5.31
Faites attention à l'emplacement où vous déposez le texte.

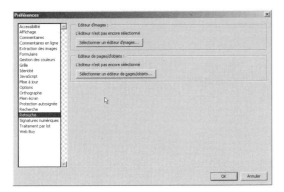

Figure 5.32
Choisissez les applications d'édition d'images
et d'objets que vous souhaitez utiliser.

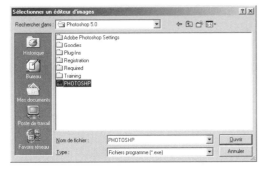

Figure 5.33
Abobe Photoshop est un des programmes
d'édition d'images les plus fréquemment utilisés.

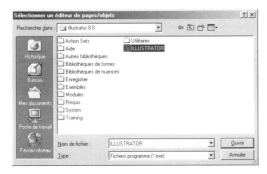

Figure 5.34
Adobe Illustrator est idéal pour l'édition d'objets.

Modification d'images

Lors de votre travail dans Acrobat, vous pouvez
avoir besoin de modifier des images dans un
fichier PDF. Acrobat permet de modifier facilement des images une fois que vous avez sélectionné un programme de retouche d'images.
Acrobat lancera alors ce programme pour ouvrir
l'image à modifier. Une fois que vous aurez enregistré vos modifications, l'image mise à jour
s'affiche dans le document PDF.

Les *images* sont composées de petits points ou
pixels. Pour la modification d'images, vous
devez disposer d'un programme capable de traiter les pixels (comme Photoshop). Les *objets* ou
graphismes vectoriels peuvent être modifiés
dans un programme vectoriel, comme Illustrator.

Sélectionner un éditeur d'image et un éditeur d'objet

1. Choisissez Edition > Préférences > Générales
   (Ctrl + K / Cmd + K) pour afficher la boîte de
   dialogue Préférences.

2. Sélectionnez l'option Retouche dans la liste
   de gauche (voir Figure 5.32).

3. Cliquez sur le bouton Sélectionner un éditeur
   d'images pour sélectionner un programme de
   traitement d'images.

4. Localisez le programme que vous souhaitez
   utiliser et cliquez sur Ouvrir (voir
   Figure 5.33).

5. Cliquez sur le bouton Sélectionner un éditeur
   de pages/objets pour sélectionner un
   programme d'édition vectoriel.

6. Localisez le programme que vous souhaitez
   utiliser et cliquez sur Ouvrir (voir
   Figure 5.34).

7. Cliquez sur OK dans la boîte de dialogue
   Préférences pour valider ces changements.

Modifier un objet dans Acrobat

1. En utilisant l'outil Retouche d'objet, appuyez sur Ctrl (ou Option) et double-cliquez sur l'objet que vous souhaitez modifier.

   L'éditeur approprié se lancera en fonction de l'objet que vous souhaitez modifier (voir Figure 5.35).

2. Modifiez l'image ou l'objet et choisissez Enregistrer dans le menu Fichier de l'application utilisée.

   Après l'enregistrement du fichier, l'image est immédiatement mise à jour dans votre fichier PDF.

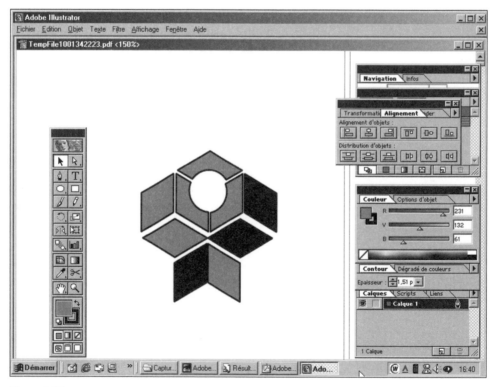

Figure 5.35
Utilisez les outils d'Illustrator pour modifier votre objet, puis choisissez Enregistrer dans le menu Fichier.

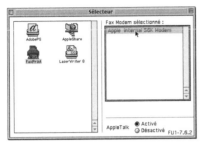

Figure 5.36
Sélectionnez Sélecteur dans le menu Pomme pour activer l'imprimante que vous souhaitez utiliser.

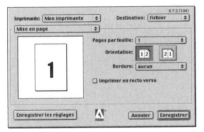

Figure 5.37
Choisissez Configuration de l'impression dans le menu Fichier pour ouvrir cette boîte de dialogue.

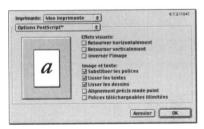

Figure 5.38
Cochez les cases appropriées pour configurer les options PostScript.

Figure 5.39
Choisissez Imprimer dans le menu Fichier pour ouvrir cette boîte de dialogue.

Impression de fichiers PDF

L'imprimante la plus répandue est l'imprimante de bureau. La plage d'impression de ces imprimantes va de 300 à 600 ppp. L'impression sur une imprimante de bureau est assez simple.

Configurer l'impression sur un Macintosh

1. Dans le menu Pomme, sélectionnez le Sélecteur (voir Figure 5.36).

2. Sélectionnez votre imprimante.

3. Cliquez sur le bouton de fermeture dans le coin supérieur gauche de la fenêtre du Sélecteur.

4. Ouvrez le fichier PDF que vous souhaitez imprimer dans Acrobat.

5. Choisissez Configuration de l'impression dans le menu Fichier pour ouvrir la boîte de dialogue du même nom (voir Figure 5.37).

6. Définissez la taille de la page, son orientation et son échelle. Lorsque vous avez fini, cliquez sur OK.

7. Si vous souhaitez configurer des options PostScript, choisissez PostScript dans le menu pour afficher les options appropriées (voir Figure 5.38). Lorsque vous avez terminé, cliquez sur OK.

   Les options que vous pouvez utiliser sont Retourner horizontalement, Retourner verticalement, Inverser l'image, Substituer les polices, Lisser les textes, Lisser les dessins, Alignement précis mode point et Polices téléchargeables illimitées.

8. Choisissez Imprimer dans le menu Fichier pour ouvrir la boîte de dialogue Imprimer (voir Figure 5.39).

9. Choisissez Acrobat 5.0 dans le menu pour sélectionner les options propres à Acrobat.

Si vous n'avez pas besoin de paramètres spécifiques, ne modifiez pas les options de ce panneau et cliquez sur le bouton Imprimer.

10. Configurez les options propres à Acrobat et cliquez sur le bouton Imprimer (voir Figure 5.40).

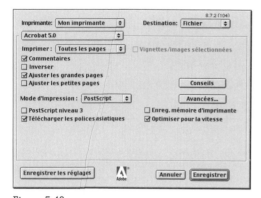

Figure 5.40
Cliquez sur le bouton Enregistrer pour envoyer le fichier PDF à l'imprimante.

Configurer l'impression sous Windows

1. Choisissez Imprimer dans le menu Fichier pour ouvrir la boîte de dialogue Imprimer.

2. Dans le menu Nom, choisissez l'imprimante que vous souhaitez utiliser (voir Figure 5.41).

3. Si vous souhaitez modifier les propriétés d'impression, cliquez sur le bouton Propriétés pour afficher les options propres à l'imprimante sélectionnée (voir Figure 5.42).

4. Configurez les options de votre imprimante et cliquez sur OK pour revenir à la boîte de dialogue Imprimer.

5. Définissez la plage d'impression, le nombre de copies et les options PostScript.

6. Cliquez sur OK pour imprimer le fichier PDF.

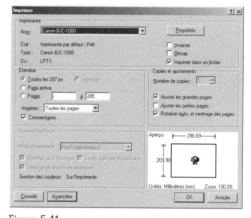

Figure 5.41
Choisissez l'imprimante dans le menu Nom. Vous n'aurez peut-être pas le choix si une seule imprimante est configurée sur votre ordinateur.

Figure 5.42
Sélectionnez les options propres à votre imprimante.

Travail sur la structure des documents PDF

Les documents PDF sont exploitables dès leur création, mais vous pouvez les améliorer pour les rendre plus lisibles ou plus faciles à utiliser. Adobe Acrobat contient plusieurs options qui permettent de personnaliser les documents PDF.

Ce chapitre traite des modifications appliquées aux pages d'un fichier PDF. Lorsque vous avez terminé votre travail dans Acrobat, pensez à l'enregistrer de manière à ce que les lecteurs puissent bénéficier des modifications que vous aurez apportées.

Informations sur votre document

Vous pouvez obtenir beaucoup de renseignements sur un document PDF. Le sous-menu Propriétés du document dans le menu Fichier
permet d'accéder à de nombreuses options (voir
Figure 6.1). La source principale d'informations
est le résumé du document. Vous pouvez également obtenir des informations complémentaires
grâce à d'autres options qui permettent également d'apporter des modifications à ces
renseignements :

- **Résumé** contient les informations de base sur
le document, l'auteur, le titre, le sujet, etc. ainsi
qu'une section non modifiable qui indique,
par exemple le logiciel utilisé pour la création
du document, les dates de création et de modification du fichier et sa taille.

- **Options d'ouverture** permet de choisir comment un document PDF doit être affiché à son
ouverture. Vous pouvez modifier l'affichage
de l'interface d'Acrobat et le niveau de zoom
sur le document.

- **Polices** (Ctrl + Alt + F / Cmd + Option + F)
contient la liste des polices utilisées dans le
document.

- **Clé de recouvrement** indique si le fichier a subi
ou non un recouvrement. Cette information
est utile pour les prestataires prépresse en
charge de l'impression du document.

- **Objets données incorporés** affiche la liste des
objets non PDF incorporés dans le document.
Cette commande ouvre la boîte de dialogue
Objets données incorporés de document qui
liste les objets incorporés dans le document et
permet de les importer, de les exporter, de les
supprimer ou de les ouvrir dans leur application native.

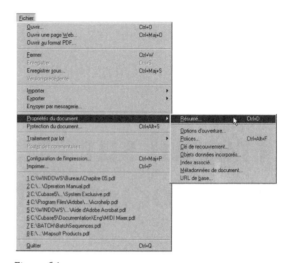

Figure 6.1
Choisissez Fichier > Propriétés du document
pour afficher et modifier les informations
relatives au fichier PDF ouvert.

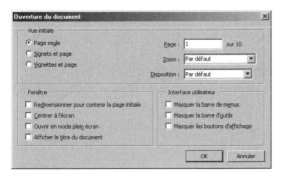

Figure 6.2
La boîte de dialogue Ouverture du document
permet de choisir comment ouvrir un document.

• **Index associé** donne le nom de l'index auto-matique du document. Cette option ajoute l'index à la liste des index existants utilisés dans une recherche.

• **Métadonnées de document** affiche les méta-données incorporées au document au format XAP avec un codage XML que vous pouvez consulter (et copier/coller dans d'autres appli-cations) en cliquant sur le bouton Affiche la source. Le codage XML permet aux moteurs de recherche Web de récolter des informations utiles sur chaque document PDF.

• **URL de base** montre l'URL de base pour la création de liens relatifs dans votre document. Lorsque vous choisissez une URL de base, la gestion des liens du document est plus simple.

Modification des options d'ouverture

Par défaut, Acrobat et Acrobat Reader ouvrent les fichiers PDF à la première page avec le niveau de zoom Taille écran. Vous pouvez cependant préférer que le document s'ouvre sur une autre page avec un niveau de zoom différent.

Modifier le mode d'ouverture d'un fichier

1. Choisissez Fichier > Propriétés du document > Options d'ouverture.

   La boîte de dialogue Ouverture du document s'affiche (voir Figure 6.2).

2. Modifiez les options d'ouverture.

   Vous pouvez choisir la page sur laquelle le document doit s'ouvrir, ainsi que différentes options d'affichage.

3. Cliquez sur OK.

4. Enregistrez le document en choisissant Enregistrer (Ctrl + S / Cmd + S) dans le menu Fichier.

Les modifications apportées seront visibles la prochaine fois que vous ouvrirez le document dans Acrobat ou Acrobat Reader.

ⓖ Astuce

Pour définir un nouveau niveau de zoom, choisissez-le dans le menu de la barre d'outils Affichage (cliquez sur le triangle à côté de l'indicateur de niveau de zoom). Vous pouvez également entrer directement un pourcentage de zoom dans le champ approprié.

Options relatives à l'ouverture des documents

Dans la boîte de dialogue Ouverture du document, vous pouvez modifier les paramètres de l'affichage initial, de la fenêtre et de l'interface utilisateur :

- **Vue initiale** permet de choisir d'afficher la page seule, la page plus la palette Signets ou la page plus la palette Vignettes.

- **Page** permet de spécifier sur quel numéro de page le document doit s'ouvrir.

- **Zoom** permet de définir le niveau de zoom initial sur le document. Le paramètre Défaut signifie que le document sera affiché avec le niveau de zoom par défaut défini par l'utilisateur lui-même.

- **Disposition** permet de choisir entre les modes d'affichage Une seule page, Continue et Continue – Page double. La valeur par défaut est Une seule page.

Figure 6.3
Ce document a été configuré pour s'ouvrir sans barre d'outils, ni barre de menus ni bouton d'affichage.

- **Redimensionner pour contenir la page initiale** redimensionne la fenêtre d'Acrobat de manière qu'elle s'ajuste aux bordures de la première page.

- **Centrer à l'écran** place la fenêtre d'Acrobat (quelle que soit sa taille) au centre du moniteur à l'ouverture du document.

- **Ouvrir en mode plein écran** engage le mode Plein écran dont il a été question dans le Chapitre 1.

- **Afficher le titre du document** montre le nom du document PDF (tel qu'il apparaît dans le résumé) dans la barre de titre. Autrement, la barre de titre affiche le nom de fichier du document.

- **Masquer la barre de menus** supprime la barre de menus de l'affichage. Appuyez sur la touche F9 pour l'afficher à nouveau.

- **Masquer la barre d'outils** supprime la barre d'outils de l'affichage. Appuyez sur la touche F8 pour l'afficher à nouveau.

- **Masquer les boutons d'affichage** supprime la barre de défilement et les boutons de fermeture et de réduction de l'affichage (voir Figure 6.3). Ces éléments ne peuvent être réaffichés qu'en désactivant cette option, en enregistrant le document, en le fermant et en le réouvrant.

Travail avec les vignettes

Les vignettes offrent une méthode visuelle qui permet un accès rapide à n'importe quelle page d'un document. Si vous êtes sur la page 1 et que vous souhaitiez atteindre la page 12, il suffit de cliquer sur la vignette de la page 12. Chaque vignette est une représentation réduite de la page correspondante.

Par défaut, les vignettes ne sont pas stockées dans le document PDF, car elles augmentent la taille du document. Elles sont générées à la volée lorsque vous ouvrez la palette Vignettes. Les vignettes ne sont donc pas enregistrées à la fermeture du document. Si vous le souhaitez, vous avez toutefois la possibilité d'incorporer les vignettes dans le document.

Figure 6.4

Choisissez Vignettes dans le menu Fenêtre pour afficher la palette du même nom.

Afficher et utiliser les vignettes

1. Choisissez Vignettes dans le menu Fenêtre (voir Figure 6.4) ou appuyez sur la touche F4.

   La palette Vignettes s'ouvre et affiche les vignettes qui représentent les pages du document.

2. Cliquez sur la vignette qui représente la page que vous souhaitez atteindre.

   Vous atteignez directement la page sélectionnée. Acrobat efface les vignettes précédentes et en génère de nouvelles.

Figure 6.5
Choisissez Créer toutes les vignettes
dans le menu de la palette Vignettes.

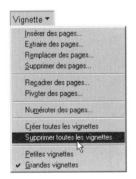

Figure 6.6
Pour supprimer les vignettes, choisissez Supprimer
toutes les vignettes dans le menu de la palette Vignettes.

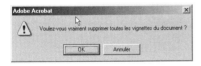

Figure 6.7
Cette boîte de dialogue vous demande
de confirmer la suppression des vignettes.

Incorporer des vignettes dans un document

1. Choisissez Vignettes dans le menu Affichage
   ou cliquez sur l'onglet Vignettes sur le bord
   gauche du document.

2. Choisissez Créer toutes les vignettes dans le
   menu de la palette Vignettes (voir Figure 6.5).

   Acrobat crée les vignettes de chaque page du
   document et les stocke de façon permanente
   dans le document PDF. Les vignettes seront
   désormais affichées instantanément et non
   générées à la volée.

⑤ Astuce

Vous pouvez créer des palettes flottantes pour
les signets, les vignettes, les commentaires et les
signatures. Il suffit de cliquer sur l'onglet de la
palette que vous souhaitez rendre flottante et de
le faire glisser dans la fenêtre principale. Reportez-vous au Chapitre 1 pour plus d'informations
sur la manipulation des palettes.

Supprimer les vignettes

1. Choisissez Supprimer toutes les vignettes
   dans le menu de la palette Vignettes (voir
   Figure 6.6).

   Une boîte de dialogue s'affiche pour vous
   demander la confirmation de la suppression.

2. Cliquez sur OK (voir Figure 6.7).

① Info

Après avoir modifié un document PDF incorpo-
rant des vignettes, il est nécessaire de supprimer
les anciennes vignettes et d'en générer de
nouvelles pour s'assurer qu'elles reflèteront bien
les modifications apportées au document.

Modification de l'ordre et de la numérotation des pages

Grâce aux vignettes, il suffit de quelques glisser-déposer pour réorganiser les pages d'un document.

Réorganiser les pages d'un document PDF

1. Lorsque le document est ouvert et que les vignettes sont affichées, sélectionnez les vignettes des pages que vous souhaitez déplacer (voir Figure 6.8).

2. Faites glisser les vignettes là où vous souhaitez déplacer les pages.

   Une barre bleue marque l'emplacement de destination (voir Figure 6.9).

3. Relâchez le bouton de la souris pour déposer les pages à leur nouvel emplacement.

   Les pages sont renumérotées pour s'adapter au déplacement effectué (voir Figure 6.10).

⑥ Astuces

- Appuyez sur la touche Ctrl ou Option en faisant glisser les vignettes sélectionnées pour les copier vers une nouvelle destination tout en laissant les originaux à l'emplacement d'origine.

- Vous pouvez sélectionner et déplacer un groupe de pages non adjacentes, mais elles seront placées les unes à la suite des autres au point de destination.

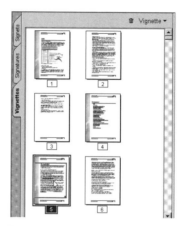

Figure 6.8
Sélectionnez les vignettes que vous souhaitez déplacer.

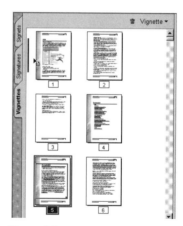

Figure 6.9
Une barre bleue marque l'emplacement de destination de vos pages.

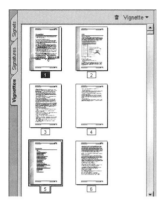

Figure 6.10
Les pages déplacées se trouvent désormais au nouvel emplacement.

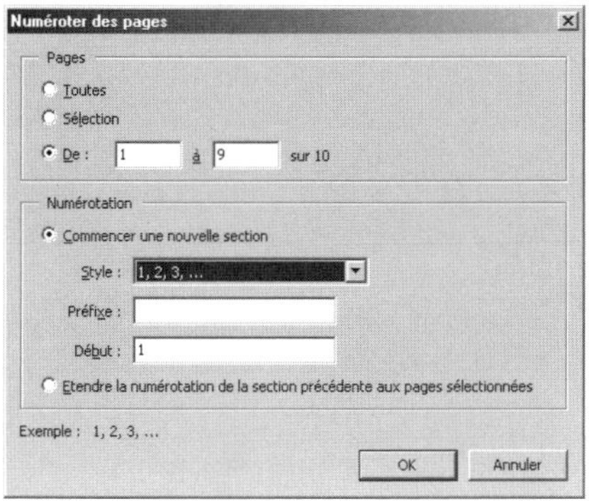

Figure 6.11
La boîte de dialogue Numéroter des pages offre de nombreuses possibilités de personnalisation du schéma de numérotation.

Figure 6.12
Choisissez un style de numérotation.

Par défaut, Acrobat numérote les pages consécutivement en partant de 1 et en utilisant des chiffres arabes. Vous pouvez avoir besoin d'appliquer un schéma de numérotation personnalisé. Il est, par exemple, possible de renuméroter une sélection au sein d'un document avec des chiffres romains ou de numéroter indépendamment les différents chapitres d'un document.

Renuméroter les pages

1. Choisissez Document > Numéroter des pages ou sélectionnez Numéroter des pages dans le menu de la palette Vignettes.

   La boîte de dialogue Numéroter des pages s'ouvre (voir Figure 6.11).

2. Choisissez les pages que vous souhaitez renuméroter : toutes les pages ou une plage de pages.

   Si vous avez sélectionné des vignettes avant d'ouvrir cette boîte de dialogue, vous pouvez également choisir l'option Sélection.

3. Si vous souhaitez utiliser la même numérotation que celle utilisée dans la section précédente, choisissez Etendre la numérotation de la section précédente aux pages sélectionnées.

   ou

   Si vous souhaitez utiliser une nouvelle séquence de numérotation, choisissez l'option Commencer une nouvelle section, puis choisissez un style de numérotation dans le menu (voir Figure 6.12), un préfixe pour les numéros de page (si vous le souhaitez) et un numéro de début pour la séquence.

⊚ Astuce

Si vous préférez que la numérotation des pages dans la palette Vignettes et dans la barre d'état utilise le système de numérotation par défaut et non votre système personnalisé, désactivez l'option Utiliser les numéros de page LPN dans l'onglet Options de la boîte de dialogue Préférences (Ctrl + K / Cmd + K).

Insertion et remplacement de pages

Souvent, vous aurez besoin de déplacer un document vers un autre, de combiner plusieurs documents PDF en un seul ou de supprimer des pages dans un document. Acrobat propose deux moyens de réaliser ces tâches. L'un met en œuvre les commandes des menus et l'autre demande juste de faire glisser les vignettes.

Acrobat ne propose pas réellement de fonctions de fusions de documents, mais il est possible d'ajouter des documents PDF au document ouvert.

Insérer un document PDF dans un autre

1. Alors qu'un document est ouvert, choisissez Insérer des pages dans le menu Document ou dans le menu de la palette Vignettes (Ctrl + Maj + I / Cmd + Maj + I) [voir Figure 6.13].

   La boîte de dialogue Sélectionner le fichier à insérer (voir Figure 6.14).

Figure 6.13
Pour insérer des pages dans un fichier, choisissez Insérer des pages dans le menu de la palette Vignettes.

Figure 6.14
Sélectionnez le fichier que vous souhaitez insérer.

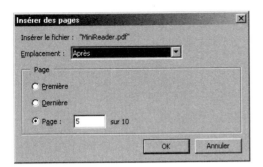

Figure 6.15
Spécifiez où vous souhaitez insérer les fichiers.

2. Choisissez le fichier que vous souhaitez insérer dans le document courant, puis cliquez sur Sélectionner.

La boîte de dialogue Insérer des pages s'affiche (voir Figure 6.15).

3. Dans la zone Page de la boîte de dialogue, indiquez où vous souhaitez que les pages soient insérées.

Cliquez sur l'option Première ou Dernière ou tapez un numéro de page.

4. Dans le menu Emplacement, choisissez Avant ou Après pour indiquer si les pages doivent être insérées avant ou après l'emplacement que vous avez spécifié.

5. Cliquez sur OK.

Les pages sont insérées à l'emplacement que vous avez sélectionné.

⊚ Astuce

Si vous ne souhaitez pas que le contenu entier d'un fichier soit inséré, vous devrez ouvrir ce fichier et extraire les pages qui vous intéressent. (L'extraction de pages est expliquée un peu plus loin dans ce chapitre). Le processus peut être source de confusion, prenez donc le soin de donner un nom distinctif au fichier contenant les pages extraites.

Il sera souvent plus pratique d'utiliser les vignettes pour déplacer des pages entre fichiers.

Copier des pages d'un document vers un autre (méthode des vignettes)

1. Ouvrez les deux documents entre lesquels vous souhaitez copier des pages (le document de destination) et le document depuis lequel vous souhaitez copier des pages (le document source).

2. Ouvrez le panneau de navigation des deux documents et réorganisez les fenêtres de manière que les deux documents soient visibles et que le document source soit au premier plan (voir Figure 6.16).

3. Cliquez sur les vignettes des pages que vous souhaitez copier ou faites glisser un rectangle de sélection autour.

   Utilisez la combinaison Maj + clic pour sélectionner des vignettes adjacentes et la combinaison Ctrl/Cmd + clic pour des vignettes non adjacentes.

   Une bordure bleue apparaît autour des pages sélectionnées (voir Figure 6.17).

4. Faites glisser les vignettes sélectionnées dans la palette Vignettes du document de destination.

   Le pointeur de la souris se transforme en flèche avec une icône de document (voir Figure 6.18).

5. Relâchez le bouton de la souris à l'endroit où vous souhaitez insérer les pages.

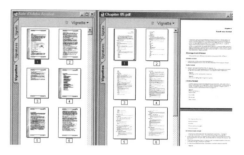

Figure 6.16
Alignez les deux documents de manière à ce que leur panneau de navigation se trouve côte à côte.

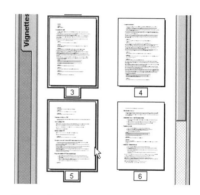

Figure 6.17
Sélectionnez les pages à copier dans l'autre document.

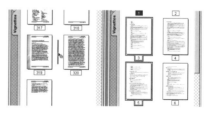

Figure 6.18
Faites glisser les pages du document source vers le document de destination.

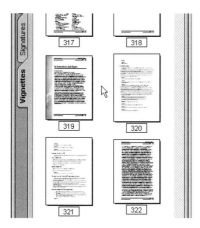

Figure 6.19
Les pages sont copiées et la numérotation
des pages est recalculée.

Figure 6.20
Sélectionnez le fichier qui contient
les pages de remplacement.

Lorsque la souris se trouve sur un point entre
deux pages, une barre bleue apparaît. Les
pages sont copiées du document source vers
le document de destination dont les pages
sont renumérotées (voir Figure 6.19).

⊚ Astuces

- Pour déplacer des pages d'un document vers
un autre, suivez la même procédure, mais
appuyez sur Ctrl + Option lorsque vous les
faites glisser. Cette méthode permet d'insérer
les pages dans le document de destination et
les supprime du document source. Les pages
des deux documents sont ensuite renumérotées.

- Cette méthode ne fonctionne que lorsque la
palette Vignettes est ancrée et non lorsqu'elle
est flottante.

Acrobat permet de remplacer une page dans un
document PDF par une autre provenant d'un
autre document. Cette fonction est très utile si
vous utilisez Adobe Illustrator pour modifier certaines pages d'un document PDF.

Remplacer une page par une autre

1. Commencez avec un document dans lequel
vous souhaitez ajouter de nouvelles pages.

2. Choisissez Remplacer des pages dans le
menu Document ou dans le menu de la
palette Vignettes.

   La boîte de dialogue Sélectionner le fichier
contenant les nouvelles pages s'affiche.

3. Sélectionnez le fichier qui contient les pages
de remplacement, puis cliquez sur Sélectionner (voir Figure 6.20).

   La boîte de dialogue Remplacer des pages
s'affiche.

4. Dans les zones de texte de la section Pages d'origine (voir Figure 6.21), indiquez la plage de page que vous souhaitez remplacer dans le document ouvert.

Cette plage détermine le nombre de pages qui seront prises en compte dans le document de remplacement. Vous ne pouvez remplacer qu'un nombre identique de pages.

5. Dans la section Pages de remplacement, tapez le numéro de la première page de remplacement.

La boîte de dialogue calcule automatiquement la plage de pages requise pour remplacer la plage sélectionnée dans le document d'origine.

6. Cliquez sur OK.

Les pages du document d'origine sont remplacées.

Remplacer une page par une autre (méthode des vignettes)

1. Affichez les palettes Vignettes du document d'origine et du document source.

2. Dans le document source, sélectionnez les vignettes qui correspondent aux pages de remplacement.

3. Faites glisser les vignettes sélectionnées sur la palette Vignettes du document d'origine et placez le pointeur de la souris sur le numéro de page de la première page à remplacer.

Les pages qui seront remplacées deviennent noires (voir Figure 6.22).

4. Relâchez le bouton de la souris.

Les pages du document source remplacent celles du document d'origine, le nombre de pages étant forcément identique dans les deux documents (voir Figure 6.23).

Figure 6.21
Indiquez à partir de quelle page vous souhaitez effectuer un remplacement et quelles sont les pages à remplacer.

Figure 6.22
Faites glisser les pages de remplacement dans la palette Vignettes du document d'origine.

Figure 6.23
Les pages sont remplacées.

ⓘ Info

Les pages non adjacentes doivent être remplacées séparément. Pour insérer les pages 1 et 5 du document de remplacement, par exemple, vous devrez exécuter deux fois le processus de remplacement.

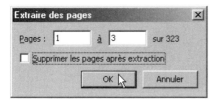

Figure 6.24
Indiquez les pages à extraire dans la boîte de dialogue Extraire des pages.

Suppression de pages

Vous pouvez exporter une sélection de pages dans un document vers un nouveau document. Vous pouvez également utiliser le même processus appelé *extraction* pour supprimer des pages en les exportant. En effet, l'extraction permet de diviser un fichier PDF en documents plus petits.

Extraire des pages d'un document PDF

1. Choisissez Extraire des pages dans le menu document ou dans le menu de la palette Vignettes.

   La boîte de dialogue Extraire des pages s'affiche.

2. Dans les zones de texte, tapez le numéro de page ou la plage de pages à extraire du document actif (voir Figure 6.24).

   Vous pouvez également sélectionner les vignettes des pages que vous souhaitez extraire avant d'utiliser la commande. La plage sélectionnée sera affichée dans la boîte de dialogue.

3. Si vous souhaitez qu'Acrobat supprime les pages extraites, assurez-vous que l'option Supprimer les pages après extraction est activée.

4. Cliquez sur OK.

   Un nouveau document contenant les pages extraites s'ouvre. Ce nouveau document est intitulé "Pages de [nom du document d'origine]". Le document n'est pas encore enregistré, renommez-le et enregistrez-le avant de le fermer ou de quitter Acrobat.

Vous pouvez utiliser l'extraction pour supprimer des pages d'un document PDF, mais le processus crée un nouveau document dont vous n'avez pas nécessairement besoin. Parfois, vous souhaiterez simplement vous débarrasser de pages, pour cela, vous pouvez utiliser la commande Supprimer des pages.

Supprimer des pages dans un document PDF

1. Choisissez Supprimer des pages dans le menu Document ou dans le menu de la palette Vignettes (Ctrl + Maj + D / Cmd + Maj + D).

   La boîte de dialogue Supprimer des pages s'affiche.

2. Dans les champs, tapez le numéro de page ou la plage que vous souhaitez effacer (voir Figure 6.25).

   Si vous avez déjà sélectionné les pages à supprimer dans la palette Vignettes, vous pouvez simplement choisir l'option Sélection.

3. Cliquez sur OK.

   Une boîte de dialogue s'affiche pour vous demander confirmation de la suppression (voir Figure 6.26).

4. Si vous êtes sûr de vous, cliquez sur OK, sinon, cliquez sur Annuler.

⊚ Astuce

Pour supprimer les pages d'un document PDF à l'aide des vignettes, sélectionnez les vignettes à supprimer et appuyez sur la touche Retour arrière ou Suppr. Lorsque la boîte de dialogue de confirmation s'affiche, cliquez sur OK.

Figure 6.25
Indiquez quelles pages vous souhaitez supprimer.

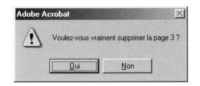

Figure 6.26
Cliquez sur OK si vous êtes certain de vouloir supprimer les pages.

Figure 6.27
Dans la boîte de dialogue Pivoter des pages,
indiquez les pages que vous souhaitez faire
pivoter et dans quelle direction.

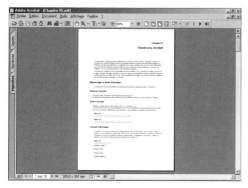

Figure 6.28
Le document dans son orientation originale.

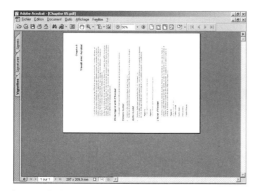

Figure 6.29
Le même document après une rotation de 90°.

Rotation et recadrage des pages

Il arrivera parfois qu'une page soit affichée
dans le mauvais sens lors de son ouverture
dans Acrobat. Vous pouvez modifier l'orientation des pages dans la boîte de dialogue Pivoter
des pages.

Faire pivoter une page

1. Choisissez Pivoter des pages dans le menu
Document ou dans le menu de la palette
Vignettes (Ctrl + R / Cmd + R).

La boîte de dialogue Pivoter des pages s'affiche.

2. Indiquez dans quelle direction vous souhaitez faire pivoter la page (voir Figure 6.27).

Il est possible de faire pivoter les pages de 90°
ou 180° dans les deux directions.

3. Choisissez la page ou la plage de pages que
vous voulez faire pivoter. Vous pouvez utiliser le menu du bas de la boîte de dialogue
pour réduire la quantité de pages traitées en
ne sélectionnant que les pages à orientation
en mode portrait ou en mode paysage.

4. Cliquez sur OK.

Les pages pivotent.

La Figure 6.28 montre un document dans sa
position d'origine et la Figure 6.29 montre le
même document après une rotation de 90° dans
le sens inverse des aiguilles d'une montre.

⊚ Astuce

Pour faire pivoter plusieurs pages non contiguës,
vous devrez les faire pivoter une à une. Si vous
souhaitez faire pivoter les pages 1, 2, 7, 8 et 9
dans un document de 10 pages, par exemple,
vous devrez commencer par faire pivoter les
pages 1 et 2, puis répéter l'opération pour les
pages 7 à 9.

Les pages PDF créées dans des applications externes, comme Illustrator et Photoshop, peuvent contenir des zones inutiles. Heureusement, Acrobat permet de recadrer les pages.

Recadrer une page PDF

1. Choisissez Recadrer des pages dans le menu Document ou dans le menu de la palette Vignettes (Ctrl + T / Cmd + T).

   ou

   Activez l'outil Recadrer (C) dans la barre d'outils Modification, faites glisser l'outil pour définir la zone à recadrer et appuyez sur Entrée.

   La boîte de dialogue Recadrer des pages s'affiche (voir Figure 6.30).

2. Dans la section Marges de la boîte de dialogue indiquez la distance de recadrage depuis chaque bord (ou sélectionnez une distance en cliquant sur les flèches de chaque champ).

   A mesure que vous modifiez ces chiffres, un cadre rouge s'affiche sur la vignette pour vous donner un aperçu des nouvelles marges. En même temps, une ligne pointillée apparaît sur le document pour représenter les limites du recadrage (voir Figure 6.31).

3. Si votre sélection ne vous convient pas et que vous souhaitiez recommencer à zéro, cliquez sur le bouton Remettre à zéro pour revenir à l'état initial.

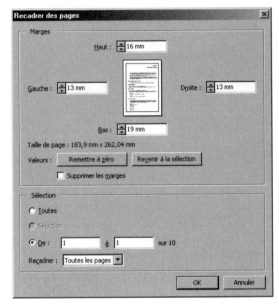

Figure 6.30
Dans la boîte de dialogue Recadrer des pages, définissez de nouvelles marges et indiquez quelles sont les pages à recadrer.

Figure 6.31
Les lignes pointillées montrent comment le document va être recadré.

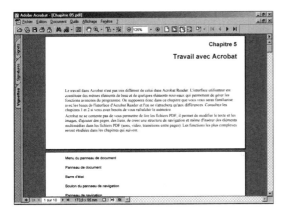

Figure 6.32
Les pages sont recadrées selon vos indications.

Si vous avez déjà défini une zone de reca-drage avec l'outil Recadrer, que vous l'ayez modifiée dans la boîte de dialogue et que vous souhaitiez revenir à votre sélection d'origine, cliquez sur le bouton Revenir à la sélection.

4. Dans la section Sélection, tapez un numéro de page ou définissez une plage de pages à traiter.

   Vous pouvez également choisir de ne reca-drer que les pages paires ou impaires en effec-tuant la sélection appropriée dans le menu en bas de la boîte de dialogue.

5. Cliquez sur OK.

   Une boîte de dialogue s'affiche et vous demande si vous souhaitez réellement reca-drer les pages sélectionnées.

6. Cliquez sur Oui pour recadrer les pages et sur Non pour ne pas modifier le document.

① Info

Il n'est pas possible d'annuler un recadrage, mais si vous choisissez Version précédente dans le menu Fichier, vous reviendrez à la dernière version enregistrée du document. En revanche, si vous enregistrez un document après l'avoir reca-dré, vous n'aurez plus aucun moyen d'annuler le recadrage.

Création et affichage de signets

La plupart des auteurs de documents PDF ajou-tent des signets dans leurs documents pour per-mettre aux lecteurs d'accéder rapidement à certains passages, mais les signets ont des fonc-tions encore plus sophistiquées. Il est par exem-ple possible de configurer un signet pour afficher une page avec un niveau de zoom donné.

Vous pouvez aussi configurer le signet pour attirer l'attention du lecteur sur une partie donnée
d'une page. Les signets peuvent même emmener
le lecteur vers une page dans un autre document,
ouvrir un fichier dans un autre programme ou
lire un fichier multimédia.

Les signets reflètent la structure d'un document.
Comme il est possible de réorganiser les signets
sous forme hiérarchique, il est facile de créer une
table des matières détaillée. (Consultez la palette
Signets du fichier d'aide d'Acrobat en guise
d'exemple.)

Afficher la palette Signets

- Choisissez Signets dans le menu Fenêtre ou
  appuyez sur la touche F5.

  ou

- Cliquez sur l'onglet de la palette Signets dans
  la partie gauche du panneau de navigation
  (voir Figure 6.33).

Créer un signet

1. Dans votre document courant, affichez la
   palette Signets.

2. Si votre document contient déjà des signets,
   sélectionnez le signet après lequel vous
   souhaitez ajouter le nouveau signet en
   cliquant dessus. (voir Figure 6.34).

3. Affichez la partie de votre document dans
   laquelle vous souhaitez insérer le signet.

4. Configurez le niveau de zoom et la position
   de défilement pour attirer l'attention de
   l'utilisateur sur l'information que vous voulez
   mettre en évidence.

Figure 6.33
Cliquez sur l'onglet dans la partie gauche
de la fenêtre pour ouvrir la palette Signets.

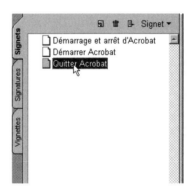

Figure 6.34
Sélectionnez le signet après lequel vous
souhaitez insérer un nouveau signet.

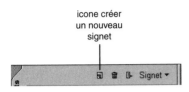

icone créer
un nouveau
signet

Figure 6.35
Cliquez sur l'icône Crée un nouveau
signet au sommet de la palette.

Figure 6.36
Choisissez Nouveau signet dans
le menu de la palette Signets.

Figure 6.37
Si vous avez créé un nouveau signet à partir de texte
sélectionné, le titre du signet correspondra à la sélection.

5. Si vous le souhaitez, utilisez l'outil Texte pour sélectionner du texte à convertir en signet.

6. Cliquez sur le bouton Crée un nouveau signet (voir Figure 6.35) en haut de la palette Signets (l'icône qui représente une feuille cornée).

ou

Choisissez Nouveau Signet (Ctrl + B / Cmd + B) dans le menu de la palette Signets (voir Figure 6.36).

Un nouveau signet apparaît dans la palette (voir Figure 6.37).

⊚ Astuce

Si vous avez sélectionné du texte dans l'étape 5, il servira de titre au signet. Autrement, le signet n'aura pas de titre et vous devrez cliquer dessus pour le renommer.

Utiliser un signet

1. Ouvrez la palette Signets pour afficher tous les signets disponibles dans le document.

2. Cliquez sur le signet que vous voulez utiliser.

L'écran se modifie et affiche l'emplacement où se trouve le signet.

Déplacement de signets

Maintenant que vous savez comment créer un signet, peut-être souhaitez-vous modifier la destination de ce signet. Imaginons que vous ayez fait un test et que vous ayez créé un signet qui amène le lecteur au milieu d'une page et non au sommet. Au lieu de supprimer le signet et de recommencer, vous pouvez modifier sa destination.

Par défaut, les signets apparaissent dans leur ordre de création. Mais vous souhaiterez peut-être modifier cet ordre ou réorganiser une longue liste de signets avec une hiérarchie plus efficace. Vous pouvez, par exemple, définir un titre principal en tant que signet parent et les titres secondaires en tant que signets enfant.

Modifier la destination d'un signet

1. Ouvrez un document PDF et affichez la palette Signets.

2. Sélectionnez le signet dont vous souhaitez modifier la destination.

3. Affichez le document tel que le signet devra le montrer.

4. Choisissez Définir la destination dans le menu de la palette Signets (voir Figure 6.38).

   Une boîte de dialogue d'avertissement s'affiche.

5. Cliquez sur Oui pour modifier le signet (voir Figure 6.39).

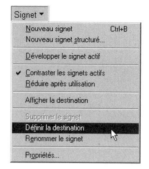

Figure 6.38
Choisissez Définir la destination dans le menu de la palette Signets.

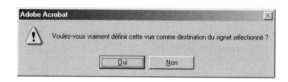

Figure 6.39
Cliquez sur Oui pour modifier la destination du signet.

Figure 6.40
Déplacez un signet en le faisant glisser dans la liste.

Figure 6.41
Créez un signet enfant en le faisant glisser
sur un autre signet. Une ligne noire indique
l'emplacement où il sera positionné.

Figure 6.42
Lorsque le signet enfant est en place,
il s'affiche en retrait sous le signet parent.

Déplacer un signet dans la liste

1. Sélectionnez le signet à déplacer.

2. Faites-le glisser vers le haut ou vers le bas
dans la liste.

Lorsque la souris passe sur un espace entre
deux signets, une ligne noire apparaît pour
montrer où le signet sera placé si vous relâchez le bouton de la souris (voir Figure 6.40).

3. Relâchez le bouton de la souris lorsque vous
avez atteint l'emplacement souhaité.

Le signet apparaît au nouvel emplacement.

Placer un signet dans un autre

1. Sélectionnez le signet que vous souhaitez
définir comme signet enfant d'un autre en
cliquant sur son icône.

2. Faites glisser le signet jusqu'à ce que le pointeur de la souris se trouve par-dessus le nom
du futur signet parent (le nom et non l'icône
du signet).

Une ligne noire s'affiche pour montrer où le
signet va être déplacé (voir Figure 6.41).

3. Relâchez le bouton de la souris.

Le signet est maintenant hiérarchiquement
inférieur au signet sur lequel vous l'avez fait
glisser (voir Figure 6.42). Le signet parent est
identifié par le signe + (Windows) ou par un
triangle (Mac) placé à sa gauche. Le fait de
cliquer sur ce symbole fait apparaître les
signets enfants placés hiérarchiquement sous
un parent.

Modification des propriétés d'un signet

Les signets ne servent pas seulement à se déplacer au sein d'un texte. Un signet peut mener à une page dans un autre document PDF, à une page Web, à une animation ou effectuer d'autres actions.

Pour lier une de ces actions à un signet, utilisez la commande Propriétés. Cette commande permet également de changer la destination d'un signet et son apparence dans la palette Signets.

Modifier les propriétés d'un signet

1. Ouvrez la palette Signets pour le document courant.

2. Cliquez sur un signet en cliquant dessus.

3. Choisissez Propriétés dans le menu de la palette Signets.

   La boîte de dialogue Propriétés s'affiche (voir Figure 6.43).

4. Choisissez une action dans le menu Type (voir Figure 6.44).

   En fonction de l'option sélectionnée, d'autres options sont activées dans la boîte de dialogue.

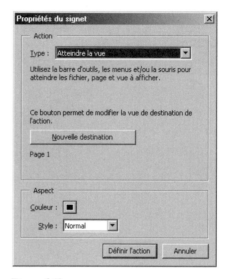

Figure 6.43
Choisissez Atteindre la vue dans la boîte de dialogue Propriétés.

Figure 6.44
Modifiez le type d'action dans le menu Type.

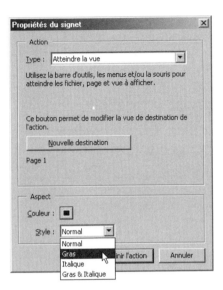

Figure 6.45
Choisissez une nouvelle couleur et un nouveau style pour le nom du signet.

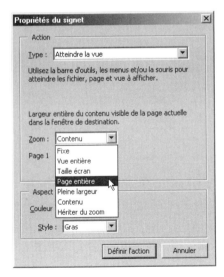

Figure 6.46
Modifiez le zoom en cliquant sur le bouton Nouvelle destination et en choisissant un nouveau paramètre de zoom dans le menu Zoom.

5. Pour modifier la couleur ou le style du texte du signet, cliquez sur le bouton Couleur ou choisissez un style dans la section Aspect de la boîte de dialogue (voir Figure 6.45).

6. Cliquez sur le bouton Définir l'action.

L'action Atteindre la vue permet de modifier la destination d'un signet en cliquant sur le bouton Nouvelle destination de la boîte de dialogue Propriétés. Affichez la page qui doit représenter la nouvelle destination du signet et modifiez le paramètre de zoom en fonction de vos besoins (voir Figure 6.46).

Création d'articles

Si votre document contient des histoires qui sont divisées en sections sur différentes parties d'une page ou sur différentes pages, comme c'est souvent le cas dans un journal ou dans un magazine, vous pouvez définir un article pour guider le lecteur du début à la fin. Vous pouvez utiliser l'outil Article pour lier les différentes parties d'un texte de manière que le lecteur puisse suivre le flux d'une histoire.

Créer un article

1. Ouvrez le document dans lequel vous souhaitez créer un article.

2. Activez l'outil Article dans la barre d'outils (voir Figure 6.47).

3. Faites-le glisser sur la section de texte que vous souhaitez définir comme la première partie d'un article.

   Lorsque vous relâchez le bouton de la souris, le texte est entouré d'un cadre numéroté (voir Figure 6.48). La numérotation commence par 1-1. le premier chiffre désigne le numéro de l'article dans le document et le second correspond à la position de cette section dans la totalité de l'article (voir Figure 6.49).

4. Affichez la section suivante que vous souhaitez joindre à l'article et sélectionnez-la avec l'outil Article.

   La seconde section poursuit le schéma de numérotation (voir Figure 6.50). Si, par exemple, l'article 1 est composé de trois sections, elles seront numérotées 1-1, 1-2 et 1-3.

Figure 6.47
Activez l'outil Article dans la barre d'outils.

Figure 6.48
Un cadre apparaît autour de la première section de l'article.

Figure 6.49
L'article est identifié par un cadre et par un numéro.

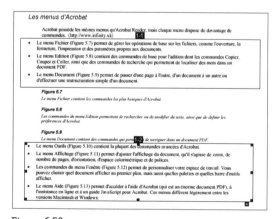

Figure 6.50
Les articles liés partagent le même premier chiffre et sont ensuite identifiés par un second chiffre correspondant à la section.

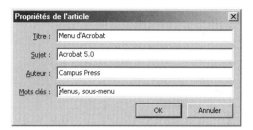

Figure 6.51
Après avoir créé un article, vous pouvez utiliser la boîte de dialogue Propriétés pour ajouter des informations sur l'article.

Figure 6.52
Cliquez sur OK et faites glisser la souris pour créer une nouvelle section d'article.

Figure 6.53
La palette Articles affiche la liste des articles contenus dans le document.

Figure 6.54
Choisissez Renommer dans le menu de la palette pour modifier le nom d'un article.

5. Lorsque vous avez défini les différentes sections d'un article, cliquez droit sur une section et choisissez Propriétés dans le menu contextuel.

6. Définissez le titre, le sujet, l'auteur et les mots clés de l'article (voir Figure 6.51).

Etendre un article

1. Activez l'outil Article.

   Tous les articles du document s'affichent.

2. Cliquez sur la partie de l'article après laquelle vous souhaitez ajouter une nouvelle section.

3. Cliquez sur le signe +.

   Une boîte de dialogue s'affiche et vous explique qu'il faut faire glisser la souris pour créer une nouvelle division d'article (voir Figure 6.52). La nouvelle section d'article reprend la numérotation à la suite de la section précédente. Les sections seront renumérotées si nécessaire.

Modification d'articles

Après avoir créé des articles dans un document PDF, vous pouvez les renommer, en ajouter, les déplacer ou les supprimer. Il est également possible de combiner plusieurs articles en un seul.

Renommer un article

1. Choisissez Fenêtre > Articles pour afficher la palette Articles (voir Figure 6.53).

   Tous les articles définis dans le document s'affichent.

2. Double-cliquez sur le nom d'un article ou choisissez Renommer dans le menu de la palette (voir Figure 6.54).

3. Tapez un nouveau nom et appuyez sur la touche Entrée ou Retour.

Combiner des articles

1. Activez l'outil Article.

2. Cliquez sur le premier article à combiner (voir Figure 6.55).

3. Cliquez sur le signe + dans le coin inférieur droit du cadre de l'article (voir Figure 6.56).

4. Maintenez la touche Ctrl (Windows) ou Option (Mac) enfoncée, puis cliquez sur la division d'article que vous souhaitez lire.

   La seconde division s'ajoute à la fin de la première. Les divisions d'article sont renumérotées automatiquement.

Supprimer un article

1. Choisissez l'article que vous souhaitez supprimer.

2. Cliquez sur l'icône Supprimer les destinations sélectionnées de la palette (voir Figure 6.58).

   ou

   Appuyez sur la touche Retour arrière ou Suppr.

   Une boîte de dialogue s'affiche pour vous demander confirmation de la suppression de l'article (voir Figure 6.59).

3. Cliquez sur Oui pour supprimer l'article.

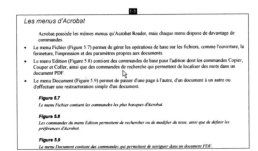

Figure 6.55

Pour combiner deux articles, cliquez sur la première section...

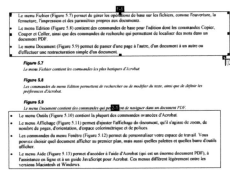

Figure 6.56

... puis cliquez sur le signe + dans le coin inférieur droit du cadre.

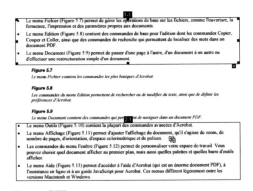

Figure 6.57

Appuyez sur la touche Ctrl ou Option et cliquez sur le second article à joindre au premier.

Figure 6.58
Cliquez sur l'icône Supprimer les destinations
sélectionnées pour supprimer les articles sélectionnés.

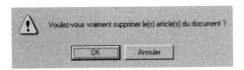

Figure 6.59
Acrobat vous demande de confirmer
la suppression des articles.

Figure 6.60
Faites glisser les pages du document
source vers le document de destination.

Lecture des articles

Pour lire toutes les sections d'un article, suivez
simplement le pointeur.

Lire un article

1. Ouvrez la palette Articles.

2. Double-cliquez sur l'article que vous souhaitez lire.

   Le début de l'article est affiché.

3. Activez l'outil Main.

   Le pointeur se change en pointeur de suivi
   d'article Figure 6.60).

4. Cliquez ou appuyez sur la touche Entrée ou
   Retour pour progresser dans l'article.
   Appuyez sur la touche Maj et cliquez ou
   appuyez sur Maj + Entrée ou Retour pour
   accéder aux sections précédentes.

   Lorsque vous avez atteint la fin de l'article,
   le pointeur de la souris se transforme en pointeur de fin d'article. Cliquez pour revenir à
   la vue précédente avant de commencer à lire
   l'article.

⊚ Astuce

Pour revenir à tout moment au début d'un
article, appuyez sur Ctrl + clic ou Option + clic.

Les liens

Acrobat permet aux utilisateurs d'atteindre, depuis un document, n'importe quel emplacement que ce soit dans la même page, dans le même document, dans un document différent ou même sur le Web. Acrobat propose des outils qui créent des liens permettant aux utilisateurs d'atteindre rapidement presque n'importe quelle destination.

Les liens peuvent également mener à des fichiers créés dans d'autres applications, à des formulaires, à des commandes JavaScript, à des sites Web et à des fichiers multimédias comme des sons ou des films.

Configuration de liens

Parallèlement à l'action Atteindre la vue, les liens représentent aussi un moyen pratique de naviguer dans un document PDF. Après avoir cliqué (avec l'outil Main) sur une zone donnée d'une page, le lecteur est amené instantanément grâce aux liens vers un autre emplacement dans le même document ou dans un autre document.

Les liens peuvent être mis en évidence ou masqués dans le document ou apparaître uniquement lorsque la souris les survolent.

Créer un lien vers un autre point dans un même document

1. Ouvrez le document dans lequel vous souhaitez créer un lien et affichez la page dans laquelle le lien doit se trouver.

2. Activez l'outil Lien dans la barre d'outils Modification (voir Figure 7.1).

3. Dessinez un cadre autour de la zone que vous souhaitez définir comme lien (voir Figure 7.2).

   Lorsque vous relâchez le bouton de la souris, la boîte de dialogue Propriétés du lien s'affiche (voir Figure 7.3). Vous pouvez déplacer cette boîte de dialogue pendant la configuration du lien, mais ne la fermez pas.

4. Dans la section Aspect, choisissez l'apparence du lien.

   Le lien peut être un rectangle personnalisable ce qui permet de le distinguer du texte qui

Figure 7.1
Activez l'outil Lien dans la barre d'outils.

Figure 7.2
Faites glisser un cadre autour de la zone qui doit servir de lien.

Figure 7.3
Choisissez une action dans la boîte de dialogue Propriétés du lien et configurez les autres paramètres.

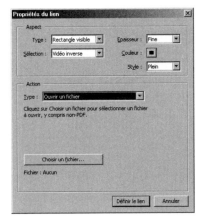

Figure 7.4
Choisissez l'action Ouvrir un fichier pour créer un lien vers un fichier non Acrobat ou même vers une autre application.

l'entoure, mais il peut aussi n'avoir aucun signe distinctif.

5. Dans la section Action, choisissez Atteindre la vue dans le menu et utilisez les outils de navigation pour afficher la page de destination.

6. Dans le menu Zoom, choisissez le niveau de zoom que vous souhaitez pour afficher la page de destination.

7. Cliquez sur le bouton Définir le lien.

Le lien fonctionnera si l'outil Main est activé. Pour tester un lien, affichez-le et cliquez dessus avec l'outil Main. La destination du lien s'affiche.

⑥ **Astuces**

- Pour lier une page à un autre document PDF, choisissez l'action Atteindre la vue, puis, alors que la boîte de dialogue est encore ouverte, choisissez Fichier > Ouvrir pour ouvrir le document de destination. Utilisez ensuite les outils de navigation pour afficher la zone de destination.

- Pour qu'un fichier non Acrobat ou une autre application puissent s'ouvrir à l'aide d'un lien, choisissez l'action Ouvrir un fichier, puis cliquez sur le bouton Choisir un fichier et sélectionnez le document ou l'application que vous souhaitez lier (voir Figure 7.4).

- Pour que la taille du cadre s'adapte exactement à celle du texte que vous souhaitez utiliser comme lien, appuyez sur Ctrl/Option avant de dessiner le cadre. Le pointeur de la souris se change en I. Utilisez le nouveau pointeur pour sélectionner le texte qui servira de lien.

Liaison vers Internet

Nous savons déjà que les liens peuvent relier un document Acrobat au monde extérieur *via* Internet. Si le texte d'un document PDF contient une URL, vous pouvez la convertir en lien Web.

Créer un lien vers un site Web

1. Ouvrez le document dans lequel vous souhaitez créer le lien et affichez la page où il doit se placer.

2. Activez l'outil Lien dans la barre d'outils Modification.

3. Dessinez un cadre autour de la zone que vous souhaitez définir comme lien.

   Lorsque vous relâchez le bouton de la souris, la boîte de dialogue Propriétés du lien s'affiche. Vous pouvez déplacer cette boîte de dialogue pendant la configuration du lien, mais ne la fermez pas.

4. Dans le menu Type, choisissez Lien Web (voir Figure 7.5).

5. Cliquez sur le bouton Modifier l'URL.

   La boîte de dialogue du même nom s'ouvre.

6. Dans la zone de texte, tapez l'URL du site que vous souhaitez lier à la page (voir Figure 7.5) et cliquez sur OK.

7. De retour dans la boîte de dialogue Propriétés du lien, cliquez sur le bouton Définir le lien.

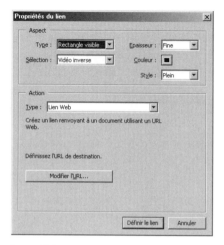

Figure 7.5
Créez un lien vers le Web en choisissant Lien Web dans la boîte de dialogue Propriétés du lien.

Figure 7.6
Saisissez l'URL du lien.

ⓘ Info

Si vous souhaitez que les utilisateurs puissent télécharger le contenu de l'URL dans un document Acrobat, saisissez l'adresse complète sans oublier le préfixe http://.

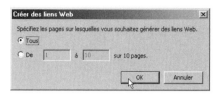

Figure 7.7
Convertissez toutes les URL en liens Web en une seule manipulation.

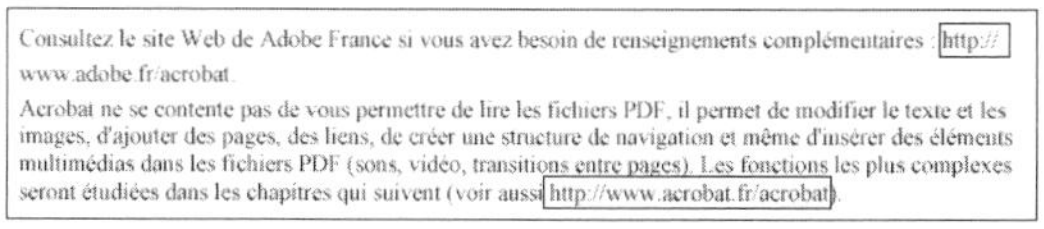

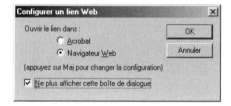

Figure 7.8
Exemple de deux liens trouvés dans un document grâce à la commande Créer des liens Web. L'URL doit tenir sur une ligne complète pour être reconnue comme lien Web.

Figure 7.9
Choisissez comment vous souhaitez ouvrir les pages Web.

Convertir automatiquement plusieurs URL en liens Web

1. Choisissez Outils > Recherche d'adresses Web > Créer des liens Web à partir d'une URL.

   La boîte de dialogue Créer des liens Web s'ouvre (voir Figure 7.7).

2. Choisissez de générer des liens sur l'ensemble des pages ou dans une plage de pages.

   Acrobat recherche les URL dans les pages que vous avez sélectionnées et les convertit en liens Web.

✆ Astuces

- A l'origine, les liens Web sont invisibles. Pour les trouver, activez l'outil Lien (L) dans la barre d'outils, sélectionnez chaque lien Web et configurez son apparence.

- Les URL doivent être contenues dans une seule ligne de texte pour que la commande soit capable de les localiser. Elles doivent également inclure le préfixe du protocole (comme http:// ou ftp://) pour être reconnues en tant qu'URL (voir Figure 7.8).

Suivre un lien Web

1. Activez l'outil Main (H) dans la barre d'outils Outils de base.

2. Cliquez sur un lien Web.

   La première fois que vous cliquerez sur un lien Web, vous verrez apparaître la boîte de dialogue Configurer un lien Web (voir Figure 7.9).

3. Indiquez si vous souhaitez ouvrir les liens Web dans Acrobat ou dans votre navigateur.

Si vous choisissez l'option Acrobat, Acrobat tentera de télécharger les pages Web depuis l'URL, de les convertir au format PDF et les ajoutera au document courant. Si vous avez choisi Navigateur Web, votre navigateur par défaut s'ouvrira et affichera la page Web désignée par le lien.

Lorsque le pointer de la souris passe sur un lien, un petit symbole s'affiche à côté de la main. Ce symbole varie en fonction de l'option choisie pour ouvrir les liens Web. Le symbole W indique qu'un navigateur Web sera utilisé pour ouvrir le lien (voir Figure 7.10) et le signe + indique que le lien sera ouvert dans Acrobat.

⊚ Astuces

- Les préférences relatives aux liens Web peuvent être modifiées en choisissant Edition > Préférences > Capture Web.

- Une fois que vous avez choisi un mode d'ouverture dans la boîte de dialogue Configurer un lien Web, vous pouvez passer d'un mode d'ouverture à l'autre en appuyant sur la touche Maj tout en cliquant sur le lien. Vous pouvez modifier à tout moment le mode d'ouverture par défaut.

Modification de liens

Une fois que vous avez configuré un lien, vous pouvez modifier son apparence ou l'action qui lui est attribuée. Si le lien désigne un site Web, il peut arriver que le site disparaisse ou qu'il change d'adresse, mais heureusement la modification ou la suppression de liens est facile.

Figure 7.10
Un W à côté de la main signifie que le lien va s'ouvrir dans un navigateur.

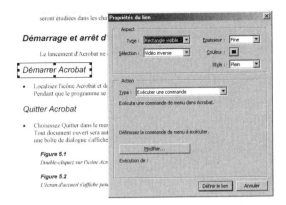

Figure 5.1
Double-cliquez sur l'icône Acr...

Figure 5.2
L'écran d'accueil s'affiche pen...

Figure 7.11

Le cadre du lien s'affiche, ainsi que la boîte
de dialogue Propriétés du lien.

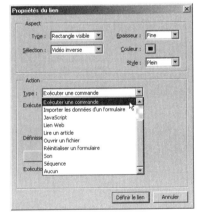

Figure 7.12

Un lien peut accomplir n'importe quelle
action parmi celles proposées dans la liste.

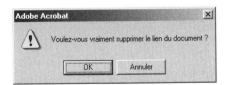

Figure 7.13

Cliquez sur OK pour supprimer le lien.

Modifier un lien

1. Ouvrez le document à la page qui contient le
   lien. Activez l'outil Lien (L) dans la barre
   d'outils.

2. Double-cliquez sur le lien.

   ou

   Cliquez droit sur le lien (Ctrl + clic) et choisissez Propriétés dans le menu contextuel.

   Le cadre du lien s'affiche ainsi que la boîte de
   dialogue Propriétés du lien (voir Figure 7.11).

3. Modifiez les différentes options à l'aide des
   menus (voir Figure 7.12).

4. Cliquez sur le bouton Définir le lien.

Supprimer un lien

1. Activez l'outil Lien.

2. Cliquez sur le lien que vous souhaitez supprimer.

   Le cadre du lien s'affiche.

3. Appuyez sur la touche Retour arrière ou
   Suppr.

   ou

   Cliquez droit sur le lien (Ctrl + clic) et choisissez Effacer dans le menu contextuel.

   Une boîte de dialogue s'affiche pour vous
   demander de confirmer votre choix.

4. Cliquez sur OK (voir Figure 7.13).

   Le lien est supprimé.

Supprimer tous les liens

1. Choisissez Outils > Recherche d'adresses Web > Supprimer des liens Web du document.

   La boîte de dialogue Supprimer des liens Web s'affiche (voir Figure 7.14).

2. Indiquez si vous souhaitez supprimer les liens sur l'ensemble des pages ou uniquement dans une plage donnée.

3. Cliquez sur OK.

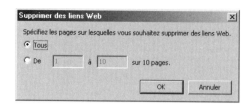

Figure 7.14
Acrobat permet de supprimer tous les liens Web en une seule manipulation.

Créer un lien pour télécharger Acrobat Reader

Si vous souhaitez que les visiteurs de votre site Web puissent télécharger Acrobat Reader 5.0 pour pouvoir lire vos documents PDF, vous pouvez créer un lien vers le site Adobe pour lancer le téléchargement du lecteur. Suivez ces étapes :

1. Dans votre éditeur HTML, tapez cette ligne :
   pour Windows :

   ```
   <A HREF="ftp://ftp.adobe..com/pub/adobe/
   acrobatreader/win/5.x/ar500enu.exe">
   ```

   pour Mac :

   ```
   <A HREF="ftp://ftp.adobe..com/pub/adobe/
   acrobatreader/mac/5.x/ar500enu.exe"> ()
   ```

2. Dans la ligne suivante, tapez le mot que vous souhaitez utiliser comme lien, comme dans l'exemple suivant :

   ```
   Cliquez ici pour télécharger Acrobat Reader
   ```

3. Dans la dernière ligne, tapez `</A>` pour indiquer au navigateur que la ligne précédente doit être affichée sous forme de lien souligné.

Les formulaires

La publication électronique a pour but avoué de développer l'interactivité. La théorie des années quatre-vingt qui prédisait la disparition du papier est désormais abandonnée, et ce pour plusieurs raisons, parmi lesquelles le fait que les premiers médias électroniques ne permettaient pas la collecte d'informations, les utilisateurs ne pouvant pas, par exemple, remplir de formulaires. Cette restriction est désormais révolue grâce aux fonctions de formulaire d'Acrobat.

Les formulaires permettent aux utilisateurs de remplir des champs de texte, de choisir des options, de cliquer sur des boutons et même d'envoyer automatiquement des informations sur Internet.

La configuration des formulaires a été conçue pour être aussi simple que possible. Vous utiliserez des listes d'options et un outil Formulaire unique ; deux outils qui font de la création de formulaires un jeu d'enfant.

Création de documents de formulaire et de champs

Un *document de formulaire* n'est rien d'autre qu'un fichier PDF dans lequel les lecteurs peuvent saisir des informations. Vous pouvez créer un document de formulaire dans n'importe quelle application disposant de fonctions d'impression. Vous pouvez, par exemple, créer un formulaire de commande dans InDesign (voir Figure 8.1). Pour convertir le formulaire en fichier PDF, il suffit alors de choisir Exporter dans le menu Fichier d'InDesign et d'enregistrer le fichier au format PDF. Il faut ensuite le rouvrir dans Acrobat (voir Figure 8.2) et l'enregistrer de nouveau.

A ce stade, on peut ajouter des champs de formulaire au document. Les *champs de formulaire* sont des éléments conçus pour recueillir les réponses des utilisateurs. Ces éléments peuvent être utilisés par toute personne disposant d'Acrobat 6.0 ou plus. Acrobat permet de créer les types de champs suivants :

- bouton ;
- bouton radio ;
- case à cocher ;
- liste déroulante ;
- signature ;
- texte ;
- zone de liste.

Par ailleurs vous avez la possibilité de contrôler différents paramètres propres à ces éléments, comme leur apparence et leur comportement.

Pour les formulaires basés sur le Web, vous pouvez indiquer à quelle URL envoyer les informations une fois qu'elles ont été complétées par l'utilisateur. Les URL ne doivent pas nécessairement correspondre à des adresses Web, il peut s'agir d'adresses FTP ou e-mail.

Figure 8.1
Document d'origine dans InDesign.

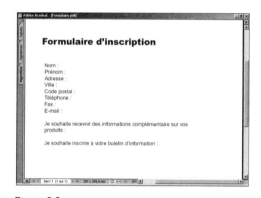

Figure 8.2
Fichier converti au format PDF et ouvert dans Acrobat.

Figure 8.3
Activez l'outil Formulaire dans la barre d'outils.

Figure 8.4
Faites glisser l'outil Formulaire
pour créer un champ de formulaire.

Figure 8.5
La boîte de dialogue Propriétés du champ
s'affiche lorsque vous créez un formulaire.

Vous créerez les champs de formulaire principalement dans Acrobat, bien que d'autres applications Adobe (InDesign, PageMaker, Framemaker ou Illustrator) permettent également de spécifier la fonction des champs avant l'exportation au format PDF.

Créer un champ de formulaire dans Acrobat

1. Activez l'outil Formulaire dans la barre d'outils (voir Figure 8.3).

2. Faites glisser un cadre sur la zone que vous souhaitez transformer en champ de formulaire (voir Figure 8.4).

   Lorsque vous relâchez le bouton, la boîte de dialogue Propriétés du champ s'affiche (voir Figure 8.5).

   Dans cet exemple, nous allons créer une zone de texte face à l'intitulé Nom dans le document PDF.

3. Donnez un nom au champ et choisissez un type de champ dans le menu Type.

   Vous devez saisir un nom pour créer un champ de formulaire.

   Dans cet exemple, tapez Nom dans le champ Nom et choisissez Texte comme type de champ.

4. Vous pouvez, si vous le souhaitez, saisir une brève description dans le champ approprié.

5. Si vous souhaitez utiliser les paramètres par défaut, cliquez sur OK.

   La zone Nom du formulaire est devenue un champ de formulaire prêt à recevoir les informations saisies par les utilisateurs.

6. Répétez ces étapes pour chaque champ dans votre formulaire.

Une fois que vous avez créé les champs de formulaire, vous pouvez les afficher et y accéder rapidement grâce à la palette Champs.

Afficher les champs dans la palette Champs

1. Choisissez Champs dans le menu Fenêtre.

   La palette Champs apparaît sous forme de palette flottante (voir Figure 8.6). Tous les champs existants apparaissent dans la palette.

2. Double-cliquez sur l'icône d'un champ dans la liste pour atteindre ce champ dans le document.

⊚ Astuces

- Par défaut, les champs de texte n'ont qu'une seule ligne, des caractères alignés à gauche, pas de texte par défaut et pas de bordure, ni de couleur d'arrière-plan.

- Une fois que les champs ont été créés, vous pouvez passer d'un champ à l'autre en appuyant sur la touche Tab. La combinaison Maj + Tab permet de remonter dans le document.

- Pour modifier un champ de formulaire, double-cliquez sur le cadre qui entoure le champ avec l'outil Formulaire. Cette action provoque l'ouverture de la boîte de dialogue Propriétés du champ dans laquelle vous pouvez effectuer des modifications. Les propriétés des champs seront traitées plus loin dans ce chapitre.

- Prenez le soin de donner un nom unique à chaque champ. Si vous choisissez de supprimer un champ et que tous les autres champs du document portent le même nom, ils seront tous supprimés.

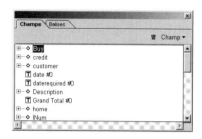

Figure 8.6

La palette Champs contient la liste de tous les champs d'un document.

Nom :
Prénom :
Adresse :
Ville :
Code postal :
Téléphone :
Fax :
E-mail :

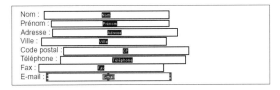

Figure 8.7
Appuyez sur la touche Ctrl/Option + clic et faites glisser pour dupliquer un champ.

Nom :
Prénom :
Adresse :
Ville :
Code postal :
Téléphone :
Fax :
E-mail :

Figure 8.8
Vérifiez l'apparence des champs en activant l'outil Main.

Ajout de champs

Lorsque vous aurez maîtrisé la création de champs, vous souhaiterez sans doute en ajouter d'autres. La technique la plus simple consiste à dupliquer un champ existant.

Dupliquer un champ existant

1. Activez l'outil Formulaire (F) dans la barre d'outils Modification.
2. Appuyez sur la touche Crtl/Option et cliquez sur le champ que vous souhaitez dupliquer et faites-le glisser là où vous souhaitez le placer.
3. Relâchez le bouton de la souris avant de relâcher la touche Ctrl/Option.

   Le champ est copié.
4. Double-cliquez sur le champ pour ouvrir la boîte de dialogue Propriétés du champ.
5. Donnez un nom unique au champ dupliqué.
6. Répétez les étapes 1 à 5 jusqu'à ce que tous les champs dont vous avez besoin soient créés (voir Figure 8.7).
7. Activez l'outil Main (H) pour vérifier l'aspect du champ (voir Figure 8.8).

Astuces

- Si vous relâchez la touche Ctrl/Option avant le bouton de la souris, le champ sera déplacé et non dupliqué.
- Pour limiter le mouvement à un déplacement vertical ou horizontal, maintenez la touche Ctrl (Windows) ou Option (Mac) enfoncée, commencez à faire glisser le champ, puis maintenez la touche Maj enfoncée tout en continuant à faire glisser le champ. Cette méthode permet de placer des champs plus précisément qu'à "main levée".

Figure 8.9
Cliquez sur le champ avec l'outil Formulaire pour le modifier.

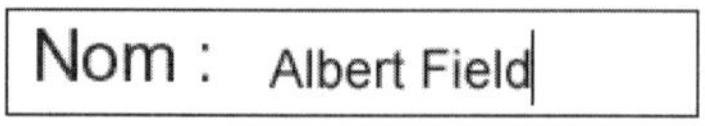

Ajuster la position et la taille des champs

1. Activez l'outil Formulaire (F) dans la barre d'outils Modification.

2. Cliquez sur le champ que vous souhaitez modifier.

   Une ligne rouge et des poignées apparaissent autour du champ (voir Figure 8.9).

3. Cliquez sur le centre du champ et faites-le glisser pour le déplacer.

4. Faites glisser les poignées dans les coins pour redimensionner le champ.

5. Lorsque vous avez terminé, assurez-vous que le champ a la bonne taille en faisant un test de saisie (voir Figure 8.10).

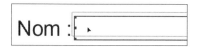

Figure 8.10
Saisissez des données fictives pour vérifier que vos champs ont la bonne taille.

⑥ Astuce

Vous pouvez ajuster les champs avec précision en effectuant un zoom avant de les déplacer (voir Figure 8.11). Appuyez sur la touche Z ou Ctrl/ Cmd + Espace pour accéder rapidement à l'outil Zoom avant.

Figure 8.11
En zoomant, vous ajusterez la disposition des champs avec plus de précision.

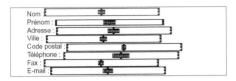

Figure 8.12
Appuyez sur la touche Maj pour sélectionner plusieurs champs.

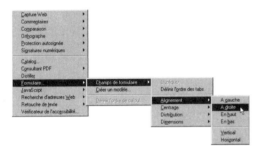

Figure 8.13
Choisissez A droite dans le sous-menu Alignement.

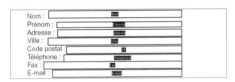

Figure 8.14
Les champs sélectionnés sont alignés sur la droite.

Aligner les formulaires

1. Pendant que l'outil Formulaire est activé, cliquez sur le champ par rapport auquel vous souhaitez aligner les autres champs.

2. Tout en appuyant sur la touche Maj, sélectionnez les autres champs que vous souhaitez aligner (voir Figure 8.12).

3. Choisissez Outils > Formulaire > Champ de formulaire > Alignement et choisissez le mode d'alignement qui vous convient (voir Figure 8.13).

   Dans la Figure 8.14, les champs sélectionnés sont alignés sur le bord droit.

Configuration des propriétés des champs

Utilisez la boîte de dialogue Propriétés du champ pour définir l'aspect et le comportement de chaque champ. La boîte de dialogue présente différentes options qui changent pour chaque type de champ. Vous pouvez choisir la police et le style du texte, définir différentes actions et des scripts qui permettent de calculer ou de valider les champs. Nous allons découvrir dans cette section les différentes options liées aux zones de texte.

Configurer l'aspect des champs

1. Avec l'outil Formulaire, double-cliquez sur le champ dont vous souhaitez définir les propriétés.

   La boîte de dialogue Propriétés du champ s'affiche.

2. Choisissez Texte dans le menu Type.

3. Cliquez sur l'onglet Aspect (voir Figure 8.15).

4. Si vous souhaitez que le champ dispose d'une bordure, cochez la case Couleur du contour et choisissez une couleur en cliquant sur le bouton à droite de la case à cocher.

   Le sélectionneur de couleur propre à votre système d'exploitation s'affiche et offre un choix de couleurs important.

5. Si vous avez choisi d'utiliser une bordure, vous pouvez en déterminer l'épaisseur et le style en utilisant les menus Trait et Style.

Figure 8.15
L'onglet Aspect de la boîte de dialogue propriétés du champ.

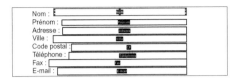

Figure 8.16

Nouveau champ avec l'outil Formulaire toujours actif.

Figure 8.17

Une fois que vous réactivez l'outil Main, le document s'affiche tel qu'il apparaîtra dans Acrobat Reader.

6. Si vous souhaitez que le champ dispose d'une couleur d'arrière-plan, cochez la case Couleur d'arrière-plan et choisissez une couleur.

7. Dans la section Texte, choisissez la police que vous souhaitez employer et sa taille grâce aux menus Police et Corps.

Vous pouvez également modifier la taille du texte.

8. Dans la section Propriétés générales, définissez les règles que vous souhaitez utiliser. Indiquez si le champ requiert une saisie utilisateur, s'il est en lecture seule et s'il est masqué ou visible.

9. Cliquez sur OK pour appliquer vos choix (voir Figure 8.16).

10. Activez l'outil Main pour observer l'aspect du champ (voir Figure 8.17).

Configurer les options de texte

1. Avec l'outil Formulaire, double-cliquez sur le champ dont vous souhaitez définir les propriétés.

   La boîte de dialogue Propriétés du champ s'affiche.

2. Vérifiez que Texte est bien sélectionné dans le menu Type et cliquez sur l'onglet Options (voir Figure 8.18).

3. Dans la zone de texte Par défaut, saisissez ce que vous souhaitez faire apparaître dans le champ avant que l'utilisateur ne l'active.

   Vous pouvez utiliser un nom au hasard, comme "François Dupont" ou placer une indication, comme "tapez votre nom ici".

4. Choisissez le mode d'alignement du texte utilisateur dans le menu Alignement.

5. Cochez la case Lignes multiples si les informations à saisir peuvent occuper plusieurs lignes (pour une adresse, par exemple).

6. Cochez la case Désactiver le défilement si vous souhaitez que l'utilisateur ne puisse pas saisir plus de texte que le cadre du champ peut en afficher.

7. Si vous souhaitez limiter le nombre de caractères que l'utilisateur peut saisir, cochez la case Limité à X caractères et indiquez le nombre de caractères dans le champ.

8. Cochez la case Mot de passe si vous souhaitez que la zone de texte fonctionne comme un lecteur de mot de passe.

9. Cochez la case Champ utilisé pour la sélection de fichier si vous souhaitez autoriser la saisie d'un chemin de fichier dans ce champ.

   Le fichier sera envoyé avec les informations du formulaire lorsque le formulaire sera validé.

10. Cliquez sur OK pour enregistrer ces paramètres et fermer la boîte de dialogue.

Figure 8.18

Dans le champ Par défaut, saisissez le texte que vous souhaitez faire apparaître dans le champ avant son activation par l'utilisateur.

Figure 8.19
Cliquez sur l'onglet Actions pour
afficher les différentes options.

Figure 8.20
Choisissez un comportement dans la liste Lorsque
cela se produit, puis cliquez sur le bouton Ajouter
pour ajouter une action.

Figure 8.21
Choisissez Envoyer un formulaire dans le menu Type.

ⓘ Info

Il est conseillé d'activer l'option Désactiver
la correction orthographique de manière que le
correcteur orthographique ne tente pas de corriger les noms propres.

Vous pouvez associer une ou plusieurs actions
à un champ de formulaire. Elles seront déclen-
chées par le comportement de la souris (un clic
ou le survol d'un champ, par exemple).

Ajouter une action à un champ de formulaire

1. Double-cliquez sur le champ auquel vous
   voulez attribuer une action.

   La boîte de dialogue Propriétés du champ
   s'affiche.

2. Cliquez sur l'onglet Actions pour afficher les
   options (voir Figure 8.19).

3. Choisissez le comportement de la souris dans
   la liste Lorsque cela se produit et cliquez sur
   le bouton Ajouter pour définir ce qui va se
   produire dans la situation sélectionnée (voir
   Figure 8.20).

   La boîte de dialogue Ajouter une action s'affiche.

4. Pour cet exemple, sélectionnez Envoyer un
   formulaire dans la liste Type (voir
   Figure 8.21).

5. Cliquez sur le bouton Choisir une URL pour
   indiquer à quelle URL vous souhaitez que le
   formulaire soit envoyé.

   La boîte de dialogue Envoyer les sélections du
   formulaire s'affiche (voir Figure 8.21).

6. Tapez l'URL, choisissez un format d'exporta-tion, indiquez quels champs traiter, activez ou non la conversion des formats de date et cliquez sur OK (voir Figure 8.22).

La boîte de dialogue se ferme et vous revenez à la boîte de dialogue Ajouter une action.

7. Cliquez sur le bouton Définir l'action.

La boîte de dialogue Ajouter une action se ferme et vous revenez à la boîte de dialogue Propriétés du champ.

8. Cliquez sur OK pour terminer la configura-tion de l'action de ce champ (voir Figure 8.23).

◎ Astuces

- Les actions les plus fréquemment assignées à un champ sont Exécuter une commande, Réi-nitialiser un formulaire et Ouvrir un fichier. Ces actions sont généralement configurées pour se déclencher suite à un événement Sou-ris relâchée.

- Si vous souhaitez modifier une action, sélec-tionnez le comportement de la souris dans la liste Lorsque cela se produit dans la boîte de dialogue Propriétés du champ (les comporte-ments qui ont des actions associées sont mar-qués d'un astérisque) et cliquez sur le bouton Modifier. La boîte de dialogue Modifier une action s'affiche. Apportez les modifications souhaitées dans la boîte de dialogue et cliquez sur le bouton Définir l'action (voir Figure 8.24).

- Si vous configurez plusieurs actions pour un champ de formulaire, vous pouvez modifier leur ordre d'exécution. Dans la liste Lorsque cela se produit..., sélectionnez le comporte-ment de la souris pour l'action que vous sou-haitez déplacer et cliquez sur les boutons Monter et Descendre.

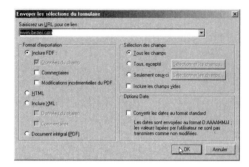

Figure 8.22
Entrez l'URL à laquelle vous souhaitez que le formulaire soit envoyé et cliquez sur OK.

Figure 8.23
Cliquez sur OK pour configurer l'action.

Figure 8.24
Cliquez sur le bouton Définir l'action dans la boîte de dialogue Modifier une action.

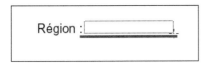

Figure 8.25
Dessinez le champ avec l'outil Formulaire.

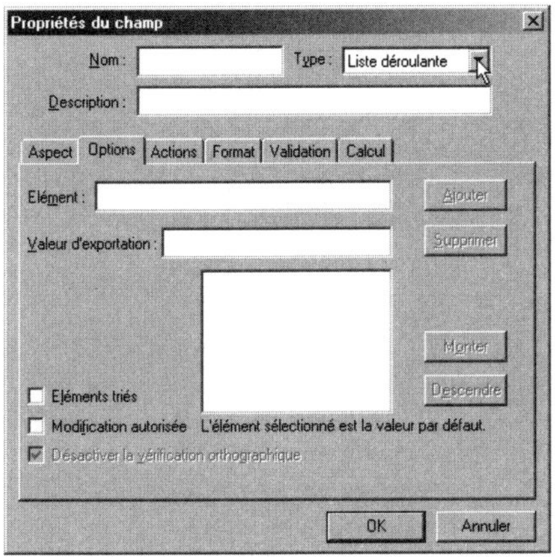

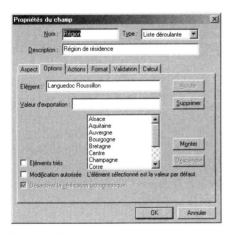

Figure 8.26
Dans la boîte de dialogue Propriétés du champ, choisissez Liste déroulante dans le menu Type.

Figure 8.27
Répétez les étapes 4 à 6 jusqu'à ce que vous ayez ajouté tous les éléments souhaités à la liste.

Création d'une liste déroulante

Les *listes déroulantes* sont des menus contenant des champs de texte modifiables. L'auteur du document peut insérer dans la liste les choix les plus fréquents, mais si un choix est manquant, l'utilisateur a la possibilité de saisir lui-même une information.

Configurer une liste déroulante

1. Activez l'outil Formulaire (F) dans la barre d'outils Modifications.

2. Dessinez un champ sur la page en faisant glisser la souris (voir Figure 8.25) ou sélectionnez un champ existant.

3. Lorsque la boîte de dialogue Propriétés du champ s'affiche, nommez le champ et si vous le souhaitez, ajoutez un petit commentaire dans le champ approprié.

4. Choisissez Liste déroulante dans le menu Type (voir Figure 8.26) et cliquez sur l'onglet Options.

5. Dans la zone de texte Elément, tapez une valeur à inclure dans la liste.

6. Si vous souhaitez que le formulaire exporte une valeur différente pour cet élément vers une application CGI, tapez cette valeur dans le champ Valeur d'exportation.

   Si vous laissez ce champ vierge, le nom de l'élément sera exporté.

7. Cliquez sur le bouton Ajouter.

   L'élément est ajouté à la liste.

8. Répétez les étapes 4 à 6 jusqu'à ce que vous ayez ajouté tous les éléments souhaités à la liste (voir Figure 8.27).

9. Cliquez sur OK lorsque vous avez terminé. Le champ aura le même aspect que les autres champs tant que l'outil Formulaire sera activé (voir Figure 8.28). Lorsque vous activez l'outil Main, vous pouvez sélectionner les différents éléments de la liste déroulante (voir Figure 8.29).

⊚ Astuces

- Cliquez sur les boutons Monter et Descendre pour modifier la position des éléments dans la liste.

- Cochez la case Eléments triés pour trier les éléments de la liste par ordre alphabétique.

- Pour supprimer un élément de la liste, sélectionnez-le et cliquez sur le bouton Supprimer.

- Si vous souhaitez donner aux utilisateurs la possibilité de modifier les choix de la liste, cochez l'option Modification autorisée.

Création d'une case à cocher

Les cases à cocher peuvent fonctionner indépendamment ou en groupe. Dans un groupe de cases, il est possible de cocher une case, aucune case, toutes les cases ou n'importe quelle combinaison de cases. L'utilisation des cases à cocher est souple et le fait de cocher une case dans un groupe n'a en général pas d'effet sur les autres cases du groupe.

Créer une case à cocher

1. Activez l'outil Formulaire dans la barre d'outils Modification.

2. Faites glisser la souris sur le document pour dessiner le champ (voir Figure 8.30).

3. Dans la boîte de dialogue Propriétés du champ, nommez le champ et si vous le souhaitez, ajoutez un rapide commentaire dans le champ prévu à cet effet.

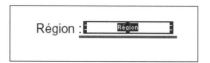

Figure 8.28
Tant que l'outil Formulaire est sélectionné, le champ ressemble à n'importe quel autre champ.

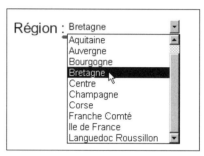

Figure 8.29
Lorsque l'outil main est sélectionné, il est possible de choisir un élément dans la liste déroulante.

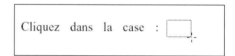

Figure 8.30
Dessinez un champ avec l'outil Formulaire.

Figure 8.31
Les options pour les cases à cocher.

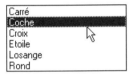

Figure 8.32
Ce menu permet de sélectionner
les différents types de marques.

Figure 8.33
Lorsque l'outil Main est activé,
la case à cocher apparaît non cochée.

Figure 8.34
Cliquez sur la case pour voir à quoi
elle ressemble une fois cochée.

4. Choisissez Case à cocher dans le menu Type et cliquez sur l'onglet Options.

   L'onglet affiche les options propres aux cases à cocher (voir Figure 8.31).

5. Choisissez un style dans le menu Type de marque (voir Figure 8.32).

6. Entrez une valeur dans le champ Valeur d'exportation.

   Cette valeur sera la valeur renvoyée lorsque la case sera cochée. Oui est la valeur par défaut et la valeur attendue par les applications CGI.

7. Si vous souhaitez que la case soit cochée par défaut, activez l'option Cochée par défaut.

8. Cliquez sur l'onglet Aspect pour définir l'apparence de votre case à cocher.

9. Si vous le souhaitez, choisissez un contour et une couleur d'arrière-plan.

   La couleur de contour correspond au contour de la case et la couleur d'arrière-plan correspond à la couleur dans la case.

10. Choisissez une couleur et une taille de texte.

    Ces paramètres affectent la couleur et la taille de la coche.

11. Cliquez sur OK.

12. Activez l'outil Main pour afficher la case à cocher (voir Figure 8.33).

13. Cliquez sur la case à cocher pour voir comment elle se comporte lorsqu'elle est cochée (voir Figure 8.34).

Création de boutons radio

On utilise les boutons radio lorsque l'utilisateur n'a pas la possibilité de choisir parmi plusieurs propositions. Dans un groupe de boutons radio, un seul bouton peut être sélectionné à la fois. Par définition, on n'utilise donc jamais un bouton radio seul. Dans l'exemple qui suit, nous allons donc créer un jeu de trois boutons radio.

Créer des boutons radio

1. Activez l'outil Formulaire dans la barre d'outils Modification.

2. Faites glisser la souris sur le document pour dessiner le champ (voir Figure 8.30).

3. Dans la boîte de dialogue Propriétés du champ, nommez le champ et si vous le souhaitez, ajoutez un rapide commentaire dans le champ prévu à cet effet.

4. Choisissez Bouton radio dans le menu Type (voir Figure 8.35) et cliquez sur l'onglet Options.

   L'onglet affiche les options propres aux cases à cocher.

5. Choisissez un style de bouton dans le menu Type de bouton Radio (voir Figure 8.36).

6. Tapez une valeur dans le champ Valeur d'exportation.

   Une note dans la boîte de dialogue vous conseille de créer des boutons avec des noms de champ identiques, mais des valeurs d'exportations différentes.

Figure 8.35
Options pour les boutons radio.

Figure 8.36
Cliquez sur l'onglet Options pour choisir la forme du bouton radio.

Figure 8.37
Activez l'onglet Aspect pour modifier
les couleurs et l'épaisseur des boutons.

Figure 8.38
Les trois champs tels qu'ils
apparaissent lorsque l'outil
Formulaire est encore sélectionné.

Figure 8.39
Les mêmes champs lorsque
l'outil Main est sélectionné.

Figure 8.40
Cliquez Sur le bouton Ajouter pour
ajouter l'action Envoyer un formulaire.

7. Cliquez sur l'onglet Aspect pour modifier les couleurs de contour et d'arrière-plan du bouton, ainsi que sa taille et son style (voir Figure 8.37).

Vous pouvez également modifier la couleur du texte (la couleur de l'objet qui indique que la case est cochée, en fait).

8. Répétez les étapes 2 à 7 pour créer trois boutons sur la page (voir Figure 8.38).

9. Activez l'outil Main pour afficher les champs sous forme de boutons radio (voir Figure 8.39).

Configuration des options avancées de formulaire

Lorsque les éléments de base sont en place, vous pouvez leur assigner des actions ou des tâches et demander aux formulaires de collecter des données, mais aussi de les analyser et de les expédier à une adresse donnée.

Créer un bouton d'envoi de formulaire

1. Activez l'outil Formulaire dans la barre d'outils Modification.

2. Faites glisser la souris sur le document pour dessiner le champ.

3. Dans la boîte de dialogue Propriétés du champ, choisissez Bouton dans la liste Type.

4. Nommez le champ et décrivez-le au besoin.

5. Cliquez sur l'onglet Actions.

6. Sélectionnez un comportement de souris dans la liste Lorsque cela se produit et cliquez sur le bouton Ajouter (voir Figure 8.40).

La boîte de dialogue Ajouter une action s'affiche.

7. Choisissez Envoyer un formulaire dans la liste Type (voir Figure 8.41).

8. Cliquez sur le bouton Choisir une URL.

La boîte de dialogue Envoyer les sélections du formulaire s'affiche (voir Figure 8.42).

9. Tapez une URL dans le champ approprié, choisissez un format d'exportation et les champs à traiter, puis cliquez sur OK.

La boîte de dialogue Envoyer les sélections du formulaire se ferme et vous revenez à la boîte de dialogue Ajouter une action.

10. Cliquez sur le bouton Définir l'action.

La boîte de dialogue Ajouter une action se ferme. Vous revenez à la boîte de dialogue Propriétés du champ.

11. Cliquez sur OK pour fermer la boîte de dialogue.

① Info

Votre Webmaster peut vous donner des informations sur l'URL à utiliser et sur le format d'exportation le plus adapté à votre configuration de travail.

Figure 8.41
Choisissez Envoyer un formulaire dans la liste et cliquez sur Choisir une URL.

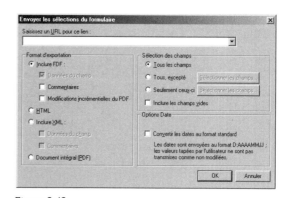

Figure 8.42
Dans la boîte de dialogue Envoyer les sélections du formulaire, indiquez où le contenu du formulaire doit être expédié.

Figure 8.43
Faites glisser l'outil Formulaire pour dessiner un champ pour le bouton.

Figure 8.44
Cliquez sur le bouton Ajouter dans la boîte de dialogue Propriétés du champ pour ajouter l'action Réinitialiser un formulaire.

Figure 8.45
Choisissez Réinitialiser un formulaire dans le menu Type.

Figure 8.46
Cliquez sur le bouton Choisir les champs et sélectionnez l'option Tous les champs.

Créer un bouton de réinitialisation du formulaire

1. Activez l'outil Formulaire dans la barre d'outils Modification.

2. Faites glisser la souris sur le document pour dessiner le champ (voir Figure 8.43).

3. Dans la boîte de dialogue Propriétés du champ, choisissez Bouton dans le menu Type, nommez le champ et si vous le souhaitez, ajoutez un rapide commentaire dans le champ prévu à cet effet (voir Figure 8.44).

4. Activez l'onglet Actions.

5. Sélectionnez un comportement de souris dans la liste Lorsque cela se produit et cliquez sur le bouton Ajouter.

   La boîte de dialogue Ajouter une action s'affiche.

6. Choisissez Réinitialiser un formulaire dans la liste Type (voir Figure 8.45).

7. Cliquez sur le bouton Choisir les champs dans la boîte de dialogue Ajouter une action.

8. Choisissez Tous les champs et cliquez sur OK (voir Figure 8.46).

   La boîte de dialogue Sélectionner les champs se ferme et vous revenez à la boîte de dialogue Ajouter une action.

9. Cliquez sur le bouton Définir l'action.

   La boîte de dialogue Ajouter une action se ferme et vous revenez à la boîte de dialogue Propriétés du champ.

10. Cliquez sur OK pour terminer la configuration du bouton.

11. Activez l'outil Main pour afficher le bouton (voir Figure 8.47).

⑥ Astuce

Vous pouvez à tout moment modifier les propriétés de base d'un bouton en double-cliquant dessus avec l'outil Formulaire, puis en cliquant sur l'onglet Aspect de la boîte de dialogue Propriétés du champ. Activez l'onglet Options pour ajouter des fonctions graphiques avancées au bouton. Vous pouvez transformer le bouton en bouton enfoncé, bouton à contour ou en bouton inversé. Le bouton peut être mis en surbrillance lorsqu'il est enfoncé, lorsqu'il ne l'est pas ou que la souris passe dessus. Vous pouvez également ajouter du texte ou une icône sur le bouton, comme dans la Figure 8.48.

Vous pouvez configurer un champ pour afficher les résultats d'un calcul qui utilise des données en provenance de deux champs ou plus. Supposons que votre formulaire contient plusieurs champs avec des valeurs en Euros. Vous pouvez créer un champ Total qui affichera la somme des valeurs saisies. Les calculs les plus simples (somme, produit, moyenne, minimum et maximum) ne sont disponibles que pour les champs dont le format est Nombre ou Pourcentage. Sinon, vous avez la possibilité d'utiliser un code en JavaScript pour créer des scripts de calcul personnalisés plus complexes.

Figure 8.47
Lorsque vous activez l'outil Main le nouveau bouton apparaît. Lorsque vous cliquerez sur ce bouton, tous les champs du formulaire seront réinitialisés.

Figure 8.48
Ajoutez un peu de fantaisie à vos formulaires en créant des icônes pour vos boutons.

Figure 8.49
Choisissez Texte dans le menu déroulant Type.

Figure 8.50
Choisissez un symbole monétaire.

Figure 8.51
Choisissez l'opération à effectuer dans l'option
La valeur correspond à/aux X des champs suivants.

Créer un champ de calcul

1. Activez l'outil Formulaire dans la barre d'outils Modification.

2. Faites glisser la souris sur le document pour dessiner le champ.

3. Dans la boîte de dialogue Propriétés du champ, choisissez Texte dans le menu Type, nommez le champ et si vous le souhaitez, ajoutez un rapide commentaire dans le champ prévu à cet effet (voir Figure 8.49).

4. Activez l'onglet Format.

5. Choisissez une catégorie, Nombre, par exemple.

6. Choisissez un symbole monétaire dans la liste du même nom (voir Figure 8.50).

7. Cliquez sur l'onglet Calcul (voir Figure 8.51).

8. Choisissez l'option La valeur correspond à/ aux X des champs suivants et choisissez une opération dans la liste.

9. Cliquez sur le bouton Choisir pour sélectionner les champs sur lesquels le calcul va s'appliquer.

La boîte de dialogue Sélectionner un champ s'affiche (voir Figure 8.52).

10. Sélectionnez les champs à traiter et cliquez sur le bouton Ajouter après chaque sélection.

11. Cliquez sur fermer lorsque vous avez terminé.

La boîte de dialogue Sélectionner un champ se ferme et vous revenez à la boîte de dialogue Propriétés du champ.

12. Cliquez sur OK pour configurer ce champ comme champ de calcul.

Lorsque vous saisirez des valeurs dans les champs sélectionnés, Acrobat calculera la somme des valeurs de ces champs.

Exporter des données de formulaire

1. Choisissez Fichier > Exporter > Données d'un formulaire (voir Figure 8.53).

La boîte de dialogue Exporter les données d'un formulaire s'ouvre.

2. Choisissez une destination pour les données de formulaire, donnez un nom au fichier et cliquez sur le bouton Enregistrer (voir Figure 8.54).

① Info

Les informations exportées depuis un formulaire sont moins lourdes que le formulaire, car elles ne contiennent pas les informations relatives aux champs du formulaire. Vous pouvez ainsi archiver le fichier ou l'envoyer rapidement par e-mail.

Figure 8.52
Choisissez les champs que vous souhaitez traiter.

Figure 8.53
Choisissez Fichier > Exporter > Données d'un formulaire.

Figure 8.54
Tapez un nom et enregistrez les données exportées sous forme de fichier.

chapitre 9

Ajout d'éléments multimédias à un fichier PDF

Le multimédia a été le mot d'ordre des années quatre-vingt-dix. Il y a quelques années encore, il fallait être un spécialiste de Director pour créer quelque chose qui soit "vaguement" multimédia. Aujourd'hui Acrobat remplace avantageusement ce logiciel difficile d'apprentissage, du moins pour la plupart des tâches de base.

Acrobat permet d'ajouter facilement des boutons, des animations, des sons et d'autres composants multimédias. Il est possible de créer des éléments multimédias dans n'importe quel programme, de Quark XPress à Adobe InDesign en passant par Illustrator et Photoshop, et de les inclure dans un document PDF.

Création de boutons

Les boutons sont des éléments importants quel que soit l'affichage multimédia. L'utilisateur clique sur un bouton pour déclencher une ou plusieurs actions (lire une animation, atteindre un document PDF donné, lire un son ou ouvrir une page Web) et n'importe quel élément peut être utilisé comme bouton. L'outil Lien simplifie grandement ce processus.

Transformer un élément existant en bouton

1. Ouvrez le fichier PDF contenant les mots ou les images que vous souhaitez transformer en boutons.

2. Activez l'outil Lien (L) dans la barre d'outils Modification (voir Figure 9.1).

3. Faites glisser un cadre de sélection autour de l'objet que vous souhaitez utiliser comme bouton.

   Lorsque vous relâchez le bouton de votre souris, la boîte de dialogue Propriétés du lien s'affiche (voir Figure 9.2).

4. Choisissez Rectangle invisible dans le menu Type de la section Aspect.

5. Choisissez Vidéo inverse dans le menu Sélection.

6. Dans le menu Type de la section Action, choisissez le type d'action que le bouton doit déclencher.

   Pour cet exemple, on a choisi l'action Atteindre la vue, qui permet d'atteindre et d'ouvrir un document à une page donnée. Vous pouvez également définir le niveau de zoom à utiliser pour afficher cette page.

Figure 9.1
Choisissez l'outil Lien dans la barre d'outils.

Figure 9.2
Une fois que vous avez fait votre sélection avec l'outil Lien, la boîte de dialogue Propriétés du lien s'affiche.

Figure 9.3
Premier état du bouton (non cliqué).

Figure 9.4
Second état du bouton (enfoncé).

7. Cliquez sur le bouton Définir le lien.

L'aspect du bouton n'aura pas changé, seules ses bordures seront modifiées lorsque l'utilisateur cliquera dessus avec l'outil Main.

Vous pouvez créer les boutons comme des fichiers PDF séparés pour donner un double aspect au bouton, ainsi le bouton changera d'aspect lorsque vous aurez cliqué dessus.

Créer un bouton à deux états

1. Créez le premier état du bouton (avant que l'on clique dessus) dans n'importe quel logiciel.

Ce bouton Go avec des biseaux a par exemple été créé dans Illustrator (voir Figure 9.3).

2. Créez un fichier PDF à partir du premier bouton en enregistrant le fichier au format PDF grâce à la boîte de dialogue Enregistrer sous.

3. Créez le second état du bouton (une fois qu'on a cliqué dessus).

Le second état doit avoir la même taille que le premier et contenir des éléments graphiques similaires. Dans cet exemple, on a inversé l'ombre portée du bouton et modifié sa teinte (voir Figure 9.4).

4. Créez un fichier PDF à partir du second bouton en enregistrant le fichier au format PDF dans la boîte de dialogue Enregistrer sous.

Vous pouvez maintenant ajouter le bouton à un fichier existant.

Ajouter un bouton à un fichier PDF

Figure 9.5
Choisissez l'outil Formulaire dans la barre d'outils.

1. Trouvez l'emplacement dans le document où vous souhaitez placer le bouton et activez l'outil Formulaire dans la barre d'outils (voir Figure 9.5).

2. Dans le document, dessinez la zone dans laquelle vous souhaitez placer le bouton.

   Essayez de reproduire les dimensions du bouton que vous avez créé. Lorsque vous relâchez le bouton de la souris, la boîte de dialogue Propriétés du champ s'affiche (voir Figure 9.6).

3. Choisissez l'option Bouton dans le menu Type.

4. Nommez le bouton et entrez une description si vous le souhaitez.

5. Cliquez sur l'onglet Options.

6. Choisissez Enfoncé dans le menu Sélection.

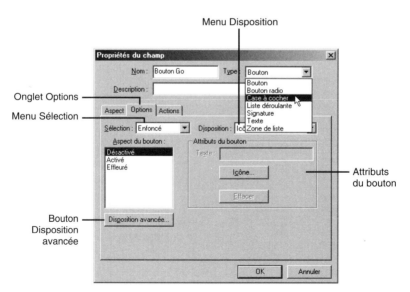

Figure 9.6
Choisissez Bouton dans le menu Type en haut à droite.

Figure 9.7
La boîte de dialogue Sélectionner une icône
permet de choisir l'icône à afficher sur le bouton.

Figure 9.8
En sélectionnant l'outil Main, vous pouvez tester
le comportement de votre bouton. Le voici au repos...

Figure 9.9
... et voilà ce qu'il devient lorsqu'il a été activé.

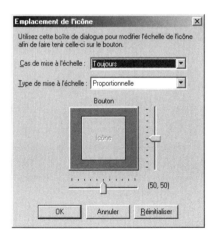

Figure 9.10
La boîte de dialogue Emplacement de l'icône permet
de placer précisément l'icône sur la face du bouton.

7. Dans la liste Aspect du bouton, choisissez
Désactivé.

8. Choisissez Icône seule dans le menu Disposition.

9. Cliquez sur le bouton Icône dans la section
Attributs du bouton.

La boîte de dialogue Sélectionner une icône
s'affiche (voir Figure 9.7).

10. Cliquez sur le bouton Parcourir pour afficher
la boîte de dialogue Ouvrir standard.

11. Sélectionnez le fichier PDF pour la position
Désactivé du bouton et cliquez sur Ouvrir.
Cliquez ensuite sur OK pour attribuer l'état
désactivé à ce bouton.

La boîte de dialogue Sélectionner une icône
se ferme et vous revenez à la boîte de dialogue Propriétés du champ.

12. Choisissez Activé dans la liste Aspect du
bouton.

13. Répétez les étapes 8 à 11 pour définir l'état
enfoncé du bouton.

14. Cliquez sur OK.

⊚ Astuces

- Pour contrôler précisément le placement de
  l'icône du bouton dans la zone du bouton,
  cliquez sur le bouton Disposition avancée
  dans la boîte de dialogue Propriétés du
  champ ; la boîte de dialogue Emplacement
  de l'icône s'affiche (voir Figure 9.10).
- Pour ajuster la couleur et le contour de votre
  bouton, cliquez sur l'onglet Aspect.

Création d'autres objets multimédias

Les boutons ne sont pas les seuls moyens pour les utilisateurs de déclencher une action. Vous pouvez configurer un document Acrobat pour qu'un événement se produise lorsque le pointeur de la souris passe sur une zone donnée. Dans cette section, vous allez apprendre à créer un rollover sonore. Acrobat Reader est capable de lire tout son ou toute vidéo compatible avec Quick-Time de Apple. QuickTime reconnaît une douzaine de fichiers multimédias, vous pourrez donc utiliser presque n'importe quel son ou n'importe quelle animation dans un document PDF.

Créer un rollover

1. Dans un fichier PDF ouvert, activez l'outil Formulaire dans la barre d'outils Modification.

2. Faites glisser la souris pour dessiner la zone dans laquelle vous souhaitez créer le rollover.

   Lorsque vous relâchez le bouton de la souris, la boîte de dialogue Propriétés du champ s'affiche.

3. Nommez le champ et décrivez-le si vous le souhaitez.

4. Choisissez Bouton dans le menu Type.

5. Cliquez sur le bouton Aspect (voir Figure 9.11).

6. Dans la section Contour, supprimez les coches pour les options de couleur de contour et d'arrière-plan.

   Cela permet de rendre la zone de rollover indiscernable du reste.

Figure 9.11
L'onglet Aspect de la boîte de dialogue Propriétés du champ permet de sélectionner les couleurs de contour et d'arrière-plan du champ, ainsi que la couleur et le style du texte de vos boutons.

Figure 9.12
L'onglet Actions de la boîte de dialogue
Propriétés du champ.

Figure 9.13
La boîte de dialogue Ajouter une action
avec l'option Son sélectionnée.

7. Cliquez sur l'onglet Actions (voir
Figure 9.12).

8. Sélectionnez l'option Souris entrée dans la
zone Lorsque cela se produit.

9. Cliquez sur le bouton Ajouter.

La boîte de dialogue Ajouter une action s'affiche.

10. Dans le menu Type, choisissez Son (voir
Figure 9.13).

11. Cliquez sur le bouton Choisir un son.

La boîte de dialogue Ouvrir s'affiche.

12. Sélectionnez un fichier Son et cliquez sur
Ouvrir.

13. Cliquez sur le bouton Définir l'action dans la
boîte de dialogue Ajouter une action.

La boîte de dialogue se ferme et vous revenez
à la boîte de dialogue Propriétés du champ.

14. Cliquez sur OK.

Maintenant, lorsque vous passez l'outil Main au-
dessus de la zone de rollover, le son sélectionné
est joué.

Création d'un diaporama avec Acrobat

Acrobat propose une fonction peu connue qui
permet de créer des présentations sous forme de
diaporama. L'intérêt d'une présentation de ce
type créée dans Acrobat est qu'il est possible de
l'envoyer à n'importe qui *via* Internet. On peut
utiliser les diaporamas pour créer une galerie
d'images, un album photo ou une présentation
commerciale avec des graphiques, des illustrations et d'autres fonctions encore.

Créer un diaporama avec Acrobat

1. Choisissez les documents que vous souhaitez afficher dans le diaporama et convertissez-les au format PDF (si nécessaire) ou dans n'importe quel format importable dans Acrobat.

   Acrobat supporte l'importation des formats de fichier graphiques BMP, GIF, JPEG, PCX, PICT, PNG et TIFF.

2. Ouvrez le premier fichier PDF dans Acrobat.

3. Choisissez Insérer des pages dans le menu Document (Ctrl + Maj + I / Cmd + Maj + I).

   La boîte de dialogue Sélectionner le fichier à insérer s'affiche.

4. Choisissez le fichier graphique et cliquez sur Sélectionner (voir Figure 9.14).

   La boîte de dialogue Insérer des pages s'affiche.

5. Choisissez un emplacement relatif à l'intérieur de la page dans laquelle vous souhaitez insérer la nouvelle page (Avant ou Après) dans le menu (voir Figure 9.15). Cliquez sur OK.

6. Répétez les étapes 2 à 5 jusqu'à ce que tous les éléments dont vous avez besoin soient insérés.

7. Choisissez Enregistrez sous dans le menu Fichier.

8. Entrez le nom de votre diaporama et cliquez sur Enregistrer.

9. Choisissez Edition > Préférences > Générales (Ctrl + K / Cmd + K).

   La boîte de dialogue Préférences s'affiche.

10. Choisissez Plein écran dans la liste à gauche de la boîte de dialogue.

Figure 9.14
Choisissez les fichiers à insérer dans le diaporama.

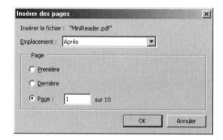

Figure 9.15
La boîte de dialogue Insérer des pages vous demande d'indiquer où insérer les fichiers.

Figure 9.16
Lorsque tous les éléments requis se trouvent dans le fichier, enregistrez le fichier au format PDF.

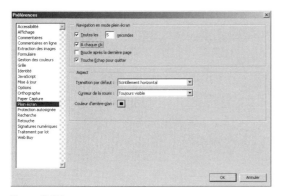

Figure 9.17
La boîte de dialogue Préférences permet de sélectionner les effets de transition et d'autres options avancées.

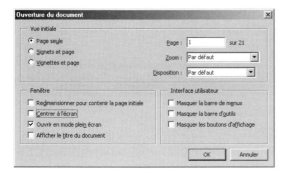

Figure 9.18
Choisissez d'ouvrir le document en mode plein écran pour afficher le document sans barres d'outils ni menus.

11. Dans la section Navigation en mode plein écran, cochez la case Toutes les x secondes et tapez une valeur dans le champ approprié (voir Figure 9.17).

Vous pouvez également choisir la façon dont les utilisateurs vont faire avancer les diapositives et comment la présentation se terminera.

12. Dans la section Aspect, choisissez un style de transition dans le menu Transition par défaut.

13. Dans le menu Curseur de la souris, choisissez Toujours visible, Toujours masqué ou Masqué après le délai pour indiquer comment le curseur de la souris doit être affiché.

14. Choisissez une couleur d'arrière-plan et une option dans la liste Moniteur en cas d'utilisation de plusieurs écrans. Cliquez sur OK.

15. Choisissez Fichier > Propriétés du document > Options d'ouverture.

La boîte de dialogue Ouverture du document s'ouvre.

16. Dans la section Fenêtre, cochez la case Ouvrir en mode plein écran. Cliquez sur OK (voir Figure 9.18).

17. Enregistrez et fermez le fichier.

La prochaine fois que vous ouvrirez le fichier, il s'affichera automatiquement en mode plein écran sous forme de diaporama. Appuyez sur la touche Echap pour revenir à la fenêtre d'Acrobat.

© Astuce

Vous pouvez suivre le même processus pour créer une présentation professionnelle complète en insérant des images, des graphiques et du texte.

Ajout de sons et d'animations à un document PDF

Les sons, qu'il s'agisse de musique ou d'explications enregistrées, permettent d'améliorer l'interactivité. Une animation peut servir à détailler une procédure ou simplement à distraire l'utilisateur. Vous pouvez utiliser l'outil Lien pour créer un bouton ou une zone de rollover, comme nous l'avons décrit précédemment dans ce chapitre, ou pour ajouter des clips multimédias. Vous pouvez également utiliser l'outil Séquence pour définir une zone cliquable qui déclenche la lecture d'une animation.

Ajouter un clip multimédia à l'aide de l'outil Séquence

1. Dans un document PDF ouvert, activez l'outil Séquence (M) dans la barre d'outils Modification.

2. Dessinez avec la souris la zone que vous souhaitez rendre cliquable (la zone active).

    Lorsque vous relâchez le bouton de la souris, la boîte de dialogue Propriétés de la séquence s'affiche (voir Figure 9.19).

3. Pour utiliser un clip se trouvant sur votre disque dur, cliquez sur le bouton d'option Utiliser le fichier sur le volume local dans la section Fichier séquence et cliquez sur le bouton Sélectionner.

    La boîte de dialogue Ouvrir s'ouvre (voir Figure 9.20).

4. Sélectionnez un son ou un clip vidéo et cliquez sur le bouton Ouvrir.

    ou

    Si vous souhaitez utiliser un son ou un clip se trouvant sur Internet, choisissez l'option Utiliser une URL distante dans la section Fichier séquence de la boîte de dialogue

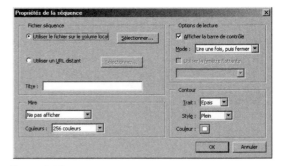

Figure 9.19
La boîte de dialogue Propriétés de la séquence permet de localiser et d'insérer des fichiers multimédias.

Figure 9.20
Sélectionnez le fichier à lire.

Figure 9.21
Trouvez une séquence sur Internet.

Considérations relatives au masquage des composants standard de l'interface

La plupart des présentations multimédias exigent une *immersion* complète de l'utilisateur dans la présentation. Cela signifie que les contrôles intégrés à la présentation doivent permettre d'effectuer la totalité des actions requises pour visualiser la présentation dans de bonnes conditions. De ce fait, l'utilisateur n'a souvent pas accès aux commandes et aux menus standard. Les contrôles que vous créerez devront donc être suffisamment explicites pour que l'utilisateur puisse naviguer en toute quiétude dans la présentation.

Vous devrez trouver une solution pour remplacer les éléments de menus ou de barre d'outils dont l'utilisateur peut avoir besoin et que vous avez choisi de masquer.

Dans un document présenté sur plusieurs pages, par exemple, l'utilisateur aura besoin de boutons pour accéder aux pages précédentes et suivantes. Un bouton Quitter ou Fermer peut également être utile. Si vous utilisez une table des matières, il peut être intéressant d'insérer dans chaque page du document un bouton permettant d'accéder rapidement à cette table.

Propriétés de la séquence et cliquez sur le bouton Sélectionner. La boîte de dialogue Ouvrir l'URL s'affiche (voir Figure 9.21). Entrez l'URL de l'élément.

Le nom du clip sélectionné s'affiche dans la section Titre de la boîte de dialogue Propriétés de la séquence.

5. Sélectionnez les options souhaitées dans la boîte de dialogue Propriétés de la séquence et cliquez sur OK.

6. Activez l'outil Main et cliquez sur la zone active pour lire la séquence vidéo ou sonore.

Supprimer une séquence d'un document PDF

1. Avec l'outil Séquence, cliquez sur la bordure du clip pour le sélectionner.

2. Appuyez sur la touche Retour arrière/Suppr.

   Un message d'avertissement s'affiche et vous demande confirmation de la suppression.

3. Cliquez sur OK.

ⓘ Info

Lorsque vous utilisez, pour vos propres besoins, un son ou une animation trouvés sur Internet, vérifiez si cet élément est protégé par un copyright. Si c'est le cas, vous devrez obtenir l'autorisation de son auteur.

Utilisation des actions de page

Dans cette section, nous allons configurer une animation pour qu'elle s'exécute automatiquement lors de l'affichage d'une page donnée dans un document.

Créer une animation qui se lance automatiquement

1. Suivez les étapes de la tâche précédente pour sélectionner et configurer une animation de manière qu'elle soit affichable dans un document.

2. Choisissez Définir une action liée dans le menu Document (voir Figure 9.22).

   La boîte de dialogue Actions liées à la page s'affiche.

3. Dans la liste Lorsque cela se produit, sélectionnez Ouverture de la page (voir Figure 9.23).

4. Cliquez sur le bouton Ajouter.

   La boîte de dialogue Ajouter une action s'affiche.

5. Choisissez Séquence dans le menu Type.

6. Cliquez sur le bouton Choisir une séquence.

   La boîte de dialogue Action de type séquence s'ouvre (voir Figure 9.24). Le menu Séquence contient la liste de toutes les séquences liées au fichier PDF.

7. Choisissez une animation dans le menu Séquence.

8. Choisissez Lecture dans le menu Opération et cliquez sur OK.

   La boîte de dialogue Action de type séquence se ferme et vous revenez à la boîte de dialogue Ajouter une action.

9. Cliquez sur le bouton Définir l'action.

   La boîte de dialogue se ferme et vous revenez à la boîte de dialogue Actions liées à la page. Cliquez sur OK.

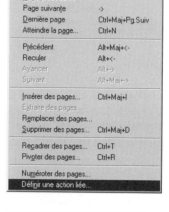

Figure 9.22
La commande définir une action liée vous permet de programmer des événements comme la lecture d'une animation.

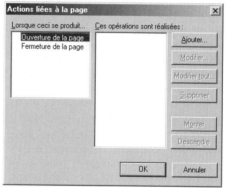

Figure 9.23
Sélectionnez ouverture de la page dans la boîte de dialogue Actions liées à la page.

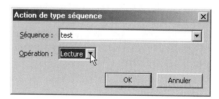

Figure 9.24
Choisissez une animation depuis le menu déroulant.

10. Enregistrez le fichier PDF.

   Désormais, l'animation sera jouée automatiquement à l'ouverture de la page.

Annotation de fichiers PDF

Acrobat propose un éventail d'outils destinés à annoter les documents PDF. Ces outils sont composés de notes, de tampons, d'un surligneur et d'annotations sous forme de fichiers joints ou de sons.

Vous pouvez utiliser les annotations pour indiquer des modifications à faire ou pour mettre en évidence des éléments importants dans un document. Il est aussi possible de filtrer des annotations pour les masquer et ne faire apparaître que les notes qui vous semblent importantes. Enfin, il est possible de créer un document qui résume les commentaires d'un autre document.

Les différents types de commentaires

Adobe propose plusieurs types de notes, chacune ayant ses propres particularités :

- Les **notes** sont des cadres de texte réductibles qui contiennent des informations sur une zone spécifique d'un document. La plupart des autres types d'annotations peuvent également contenir des notes (voir Figure 10.1).

- Les **textes à main levée** apparaissent sous forme de texte directement inséré dans le document PDF. Contrairement aux notes, il n'est pas nécessaire de les développer pour les afficher (voir Figure 10.2).

- Les **sons en pièce jointe** contiennent un élément audio enregistré. Ils sont utiles pour commenter rapidement un élément donné dans un fichier PDF (voir Figure 10.3).

- Les **tampons** sont des illustrations personnalisées qui peuvent être imprimés sur n'importe quelle page d'un document (voir Figure 10.4).

Figure 10.1

Les notes permettent d'insérer dans un cadre des commentaires sur une zone spécifique du document.

Figure 10.2

Les textes à main levée permettent d'insérer de courtes notes directement dans le texte.

Figure 10.3

Les sons en pièce jointe sont des enregistrements effectués dans Acrobat.

Figure 10.4

Exemple de tampon. On a choisi le tampon Approuvé pour indiquer qu'il s'agit du document final.

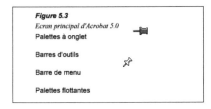

Figure 10.5
Un fichier en pièce jointe est un fichier imbriqué dans un fichier PDF. La punaise indique la présence d'un fichier attaché. La punaise inclinée correspond au pointeur de la souris lorsque l'outil Fichier en pièce jointe est sélectionné.

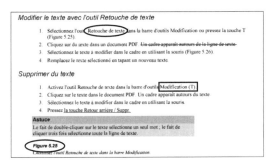

Figure 10.6
Plusieurs annotations graphiques marquent ce passage.

Figure 10.7
L'outil Mise en surbrillance permet de surligner des passages.

- Les **fichiers en pièce jointe** sont utiles pour joindre un fichier source ou un fichier contenant des informations corrigées ou mises à jour (voir Figure 10.5).

- Les **éléments graphiques d'annotation** sont pratiques lorsque vous utilisez des objets graphiques dans des annotations. Acrobat permet de créer des objets comme des lignes, des cadres ou des ellipses utilisables avec des annotations. Il existe même un outil de dessin à main levée (voir Figure 10.6).

- Les **outils d'annotation de texte** s'appliquent à des zones de texte sélectionnées. Vous pouvez utiliser les outils Mise en surbrillance et Texte en souligné pour mettre des passages en évidence (voir Figure 10.7). Pour rayer des passages, vous pouvez utiliser l'outil Texte barré.

Création et modification de notes

Les notes sont la forme la plus basique d'annotation ; on peut les comparer aux Post-it sur lesquels on inscrit des commentaires et que l'on colle sur une page. Vous pouvez utiliser les notes pour garder la trace des modifications effectuées ou pour indiquer les changements que vous jugez nécessaires d'apporter sur un passage donné. Comme les notes n'apparaissent pas à l'impression, vous pouvez aussi les utiliser pour ajouter des informations qui doivent rester masquées au public.

Créer une note

1. Ouvrez un document, activez l'outil Note (S) dans la barre d'outils Commentaire (voir Figure 10.8).

2. Placez la note en cliquant dans le document à l'emplacement où vous souhaitez la placer.

   Une note de taille standard s'affiche. Elle contient le nom de l'auteur et sa date de création dans sa partie supérieure (voir Figure 10.1).

   Vous pouvez faire glisser les bords de la note pour la redimensionner (voir Figure 10.9).

3. Tapez du texte dans la note.

4. Si vous souhaitez fermer la note lorsque vous avez terminé, cliquez sur le bouton de fermeture en haut à gauche (voir Figure 10.10).

   Une icône de note s'affiche dans le document là où vous l'avez insérée (voir Figure 10.11).

ⓘ Infos

- Pour configurer la police et la taille de caractère du texte de la note, choisissez Edition > Préférences > Générales (Ctrl + K / Cmd + K).

Figure 10.8
L'outil Note figure dans la barre d'outils Commentaires. Pour l'utiliser, cliquez dessus ou appuyez sur la touche S de votre clavier.

Figure 10.9
Faites glisser l'outil Note pour créer une note de la taille souhaitée. Vous pourrez toujours redimensionner la note ultérieurement.

Figure 10.10
Cliquez sur le bouton de fermeture de la boîte pour fermer la note. L'icône de note reste à l'écran après la fermeture du cadre.

Figure 10.11
Cette icône de note signale la présence d'une note dans le texte.

Figure 10.12
Les préférences de commentaires concernent entre autres la police et le corps à utiliser.

Figure 10.13
Placez le point d'insertion à la fin de la note dans laquelle vous souhaitez ajouter du texte.

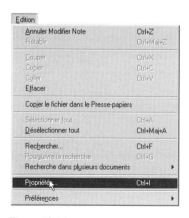

Figure 10.14
Choisissez Edition > Propriétés pour modifier les propriétés de la note.

La boîte de dialogue Préférences s'ouvre. Sélectionnez Commentaires dans la liste de gauche (voir Figure 10.12). Choisissez la police et le corps dans les menus, définissez l'opacité de la fenêtre et ajustez les autres options en fonction de vos besoins.

- Il est possible de modifier les notes pendant que l'outil Main est sélectionné.

Ajouter du texte à des notes existantes

1. Double-cliquez sur l'icône de note pour afficher la note.

2. Placez le pointeur de la souris à la fin du texte existant et cliquez pour placer un point d'insertion (voir Figure 10.13).

3. Tapez le texte.

Supprimer une note existante

1. Cliquez sur l'icône de la note que vous souhaitez supprimer.

   L'icône s'affiche en surbrillance.

2. Appuyez sur la touche Retour arrière/Suppr de votre clavier pour supprimer la note.

   ou

   Cliquez droit (Ctrl + clic) sur l'icône de la note et choisissez Supprimer dans le menu contextuel.

Changer la couleur d'une note

1. Cliquez sur la note pour la sélectionner.

2. Choisissez Edition > Propriétés (Ctrl + I / Cmd + I) [voir Figure 10.14].

   ou

   Cliquez droit (Ctrl + clic) sur l'icône de la note et choisissez Propriétés dans le menu contextuel.

   La boîte de dialogue Propriétés des notes s'affiche.

3. Cliquez sur le bouton Couleur (voir
Figure 10.15). La palette de couleurs de votre
système s'affiche (voir Figures 10.16 et
10.17).

4 Choisissez une couleur différente et cliquez
sur OK pour fermer la palette.

5. Cliquez sur OK pour fermer la boîte de dialogue de propriétés et valider la modification de
couleur de la note.

⊚ Astuces

• Vous pouvez modifier l'icône de note qui
apparaît dans le document en sélectionnant
une nouvelle icône dans la liste Aspect de la
boîte de dialogue propriétés des notes.

• Vous pouvez redimensionner la fenêtre de la
note en cliquant dessus pour l'afficher et en
faisant glisser son coin inférieur droit.

Icônes de notes

Bouton Couleur

Figure 10.15
Cliquez sur le bouton Couleur
pour modifier la couleur des notes.

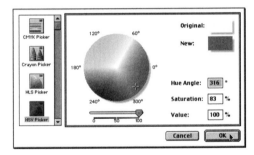

Figure 10.16
Choisissez une couleur dans la palette Macintosh...

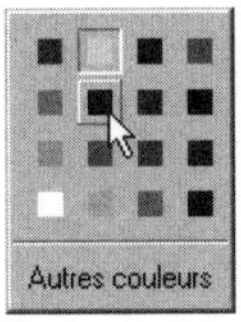

Figure 10.17
... ou dans la palette Windows.

Figure 10.18
L'outil Texte à main levée se trouve dans le même emplacement que l'outil Note.

Figure 10.19
Faites glisser l'outil Texte à main levée pour créer une zone de texte. Vous pourrez la redimensionner plus tard en faisant glisser les coins du cadre.

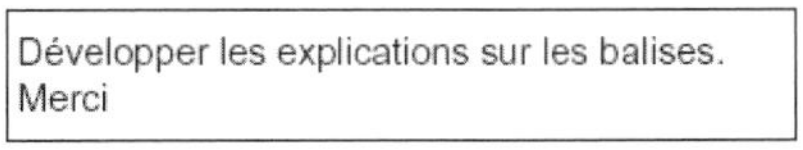

Développer les explications sur les balises.
Merci

Figure 10.20
Voici comment la note apparaît une fois que vous avez appuyé sur la touche Entrée/Retour.

Utilisation des notes en texte à main levée

Les notes en texte à main levée permettent d'ajouter des notes directement dans un document sans affecter le texte existant. Les annotations de textes sont plus immédiatement visibles que les notes puisqu'elles s'affichent directement dans le texte.

Créer une note en texte à main levée

1. Activez l'outil Texte à main levée dans la barre d'outils Commentaires (voir Figure 10.18) en cliquant sur la flèche à côté de l'outil Note et en sélectionnant Texte à main levée.

   ou

   Appuyez sur les touches Maj + S.

2. Placez la note en dessinant un cadre dans le document.

   La taille du rectangle créé correspond à la taille de la fenêtre de texte (voir Figure 10.19).

3. Tapez le texte que vous souhaitez faire figurer dans la note.

4. Appuyez sur la touche Entrée/Retour lorsque vous avez terminé (voir Figure 10.20).

⊚ Astuce

Pour déplacer une note, choisissez un outil différent (l'outil Main, par exemple), placez-vous sur le bord de la note et faites-la glisser vers un nouvel emplacement. Vous pouvez également modifier la taille de la note en plaçant le pointeur de la souris sur un coin et en le faisant glisser.

Modifier les propriétés d'une note en texte à main levée

1. Choisissez Edition > Propriétés (Ctrl + I / Cmd + I).

   ou

   Cliquez droit (Ctrl + clic) sur l'icône de la note et choisissez Propriétés dans le menu contextuel.

   La boîte de dialogue Propriétés du texte à main levée s'affiche (voir Figure 10.21).

2. Modifiez les options qui vous intéressent : police, corps, alignement, contour et auteur.

3. Cliquez sur OK.

⊚ Astuce

Vous pouvez faire défiler les différents outils se trouvant au même emplacement en appuyant sur la touche Maj et sur la touche dédiée à l'activation de l'outil. Si vous appuyez sur Maj + S alors que l'outil Note est activé, vous activerez l'outil Texte à main levée.

Utilisation d'annotations audio

Pour ajouter un commentaire parlé (ou un interlude musical) dans un fichier PDF, utilisez l'outil Son en pièce jointe. Si votre ordinateur dispose d'un micro, il est facile d'ajouter une annotation audio.

Ajouter un son en pièce jointe à un document

1. Activez l'outil Son en pièce jointe dans la barre d'outils Commentaires (Maj + S) [voir Figure 10.22].

2. Placez la pièce jointe en cliquant dans le document.

   Sous Windows, la boîte de dialogue Magnétophone s'affiche (voir Figure 10.23). Sur un

Figure 10.21
Cliquez sur le texte à main levée que vous souhaitez modifier et choisissez Propriétés dans le menu Edition pour afficher la boîte de dialogue Propriétés du texte à main levée.

Figure 10.22
L'outil Son en pièce jointe se trouve sous l'outil Note dans la barre d'outils.

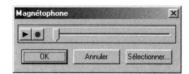

Figure 10.23
Cette boîte de dialogue permet d'enregistrer vos commentaires.

---

188 – PDF avec Acrobat 5

Figure 10.24
La boîte de dialogue Enregistrer le son sur les
Macintosh permet d'enregistrer des commentaires.

Figure 10.25
La boîte de dialogue Propriétés du son permet
de modifier la couleur de l'icône.

Figure 10.26
Les sons en pièce jointe sont signalés par un petit
haut-parleur. Il suffit de cliquer dessus pour lire le son.

Macintosh, c'est la boîte de dialogue Enregistrer le son qui s'affiche (voir Figure 10.24).

3. Cliquez sur le bouton d'enregistrement pour commencer à enregistrer le commentaire.

4. Cliquez sur le bouton Stop lorsque vous avez fini de parler.

5. Jouez l'enregistrement ou cliquez sur OK.

   La boîte de dialogue Propriétés du son s'affiche automatiquement au cas où vous souhaiteriez effectuer des modifications (voir Figure 10.25). Un petit haut-parleur s'affiche dans la page à l'endroit où le commentaire est placé (voir Figure 10.26).

Vous pouvez lire l'enregistrement en cliquant sur le son en pièce jointe.

⊚ Astuce

Vous pouvez utiliser des fichiers son se trouvant sur votre disque dur en cliquant sur le bouton Sélectionner dans la boîte de dialogue Magnétophone et en choisissant un fichier dans la boîte de dialogue Sélectionner un fichier son.

Utilisation d'un tampon

Le tampon permet de placer des illustrations personnalisées n'importe où dans un document. Vous pouvez marquer un document comme confidentiel, top secret ou comme copie de travail, par exemple. Vous pouvez même ajouter des tampons personnalisés : toute illustration enregistrée au format PDF peut être utilisée comme tampon.

Utiliser un tampon sur un document

1. Ouvrez le document que vous souhaitez tamponner et activez l'outil Tampon dans la barre d'outils (Maj + S) [voir Figure 10.27].

2. Dessinez un cadre à la taille du tampon que vous souhaitez utiliser (vous pourrez le redimensionner plus tard).

   Un tampon par défaut s'affiche (voir Figure 10.28).

3. Cliquez sur le tampon pour le sélectionner et choisissez Propriétés dans le menu Edition (Ctrl + I / Cmd + I).

   ou

   Cliquez droit (Ctrl + clic) sur l'icône de la note et choisissez Propriétés dans le menu contextuel.

   La boîte de dialogue Propriétés du tampon s'affiche (voir Figure 10.29).

4. Dans le menu Catégorie, choisissez la catégorie de tampon que vous souhaitez utiliser.

5. Choisissez le tampon à utiliser.

   Vous pouvez voir un aperçu du tampon sélectionné dans la partie droite de la boîte de dialogue.

6. Cliquez sur OK.

   L'image du tampon est modifiée dans votre document (voir Figure 10.30).

Figure 10.27
Pour tamponner un document, activez l'outil Tampon dans la barre d'outils.

Figure 10.28
Un tampon par défaut s'affiche dans l'emplacement sélectionné.

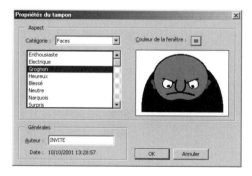

Figure 10.29
La boîte de dialogue Propriétés du tampon permet de choisir quel tampon utiliser.

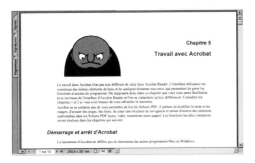

Figure 10.30
Le nouveau tampon est ajouté au document.

⑥ Astuces

- Double-cliquez sur un tampon pour ouvrir une zone de texte (comme dans les notes) dans laquelle vous pourrez saisir des informations complémentaires.

- Si vous cliquez avec l'outil Tampon, vous placez le dernier tampon sélectionné. Il est possible de modifier le tampon à tout moment en cliquant droit dessus (Ctrl + clic) et en sélectionnant Propriétés dans le menu contextuel pour faire apparaître la boîte de dialogue Propriétés du tampon.

Supprimer un tampon d'un document

- Cliquez sur le tampon et appuyez sur la touche Retour arrière/Suppr.

  ou

- Cliquez droit (Ctrl + clic) sur le tampon et sélectionnez Supprimer dans le menu contextuel.

Création de tampons personnalisés

Vous pouvez utiliser n'importe quel programme graphique capable d'effectuer des enregistrements PDF pour créer des tampons personnalisés utilisables dans Acrobat. Vous obtiendrez toutefois de meilleurs résultats si vous créez votre image dans un logiciel vectoriel, comme Illustrator, car vous pourrez alors redimensionner le tampon sans dégradation de l'image. Etant donné qu'Acrobat considère les documents PDF comme des containers pour les tampons, vous pouvez exporter un document Illustrator en tant que page PDF et utiliser cette page comme tampon.

Créer un tampon personnalisé dans Acrobat et Illustrator

1. Créez l'illustration que vous souhaitez utiliser comme tampon (voir Figure 10.31).

2. Choisissez Enregistrer sous dans le menu Fichier.

   La boîte de dialogue Enregistrer sous s'affiche (voir Figure 10.32).

3. Nommez le fichier et choisissez un des emplacements suivants pour l'enregistrer :

   - Adobe\Acrobat 5.0\Acrobat\Plug_ins\ Annotations\Stamps (Windows)

   - Adobe Acrobat 5.0:Plug-Ins:Annota- tions:Stamps (Mac OS)

4. Choisissez Acrobat PDF comme format d'enregistrement.

5. Cliquez sur le bouton Enregistrer.

6. Ouvrez le document PDF dans Acrobat.

7. Choisissez Fichier > Propriétés du document > Résumé (Ctrl + D / Cmd + D).

   La boîte de dialogue Résumé du document s'affiche (voir Figure 10.33).

8. Entrez un nom définissant le tampon dans le champ Titre et cliquez sur OK.

   Si vous ne saisissez rien dans le champ Titre, le programme utilisera le nom du fichier à la place.

Figure 10.31
Voici le dessin Illustrator que l'on souhaite transformer en tampon.

Figure 10.32
Enregistrez le fichier dans le dossier qui contient les autres tampons.

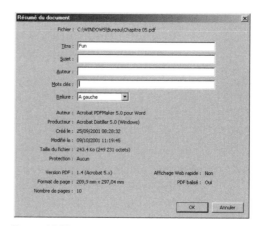

Figure 10.33
La boîte de dialogue Résumé du document permet de saisir le nom de la catégorie du tampon.

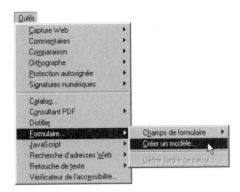

Figure 10.34
Choisissez Outils > Formulaire > Créer un modèle.

Figure 10.35
La boîte de dialogue Créer un modèle permet
de donner un nom aux tampons en utilisant
une convention d'appellation quelque peu étrange.

9. Choisissez Outils > Formulaire > Créer un
modèle (voir Figure 10.34).

La boîte de dialogue Créer un modèle s'affiche.

10. Tapez le nom du tampon en utilisant la
convention NomCatégorie=Nom (voir
Figure 10.35).

Si vous souhaitez appeler la catégorie Fun et
le tampon Tampon, vous devrez utiliser le
nom FunTampon=Tampon.

11. Cliquez sur le bouton Ajouter, puis sur Oui
pour créer un nouveau modèle sur la base du
document courant.

12. Cliquez sur le bouton Fermer.

13. Enregistrez le document PDF et fermez-le.

Vous pouvez désormais utiliser le dessin comme
tampon personnalisé dans Acrobat.

⊚ **Astuce**

Pour ajouter à votre document un autre tampon
se trouvant sur une page différente, affichez cette
page et répétez les étapes 9 et 10 de l'exercice
précédent. Ne nommez pas un autre tampon
Tampon ; chaque tampon doit avoir un nom
unique.

Création d'un fichier en pièce jointe

Les fichiers en pièce jointe sont des fichiers attachés à des documents PDF. Il peut s'agir de n'importe quel type de fichier, une image, une feuille de calcul ou même un autre fichier PDF. Dans certains cas, vous souhaiterez attacher des fichiers source non PDF à des documents PDF.

Joindre un fichier à un document

1. Lorsqu'un document est ouvert, activez l'outil Fichier en pièce jointe (Maj + S) [voir Figure 10.36].

2. Cliquez dans le document PDF à l'endroit où vous souhaitez attacher le fichier.

   La boîte de dialogue Sélectionner la pièce jointe s'affiche.

3. Choisissez le fichier que vous souhaitez joindre et cliquez sur le bouton Ouvrir.

   La boîte de dialogue Propriétés du fichier s'affiche (voir Figure 10.37).

4. Dans la liste Aspect, sélectionnez l'icône que vous souhaitez utiliser.

5. Tapez une description du fichier dans le champ Description.

6. Cliquez sur OK.

   Le fichier est attaché au document.

① Info

Lorsque vous joigniez un fichier à un document PDF, vous l'incorporez au document. Ce procédé peut donc augmenter considérablement la taille du fichier PDF. Si le fichier que vous souhaitez joindre est lourd, convertissez-le en PDF, ajoutez-le sous forme de page au fichier PDF initial et placez un lien vers ces pages à l'endroit où vous auriez placé l'icône de fichier en pièce jointe.

Figure 10.36
L'outil Fichier en pièce jointe (sous l'outil Tampon) permet de joindre des fichiers de n'importe quel format à un fichier PDF.

Figure 10.37
La boîte de dialogue Propriétés du fichier permet de choisir l'icône signalant la présence du fichier joint.

Figure 10.38
Les quatre outils graphiques partagent le même emplacement dans la barre d'outils.

Figure 10.39
L'outil Crayon est pratique pour attirer l'attention sur un passage donné.

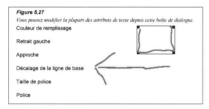

Figure 10.40
Cliquez sur une ligne pour sélectionner la forme que vous avez dessinée.

Figure 10.41
La boîte de dialogue Propriétés du crayon permet de modifier l'épaisseur et la couleur des lignes.

Utilisation des différents outils graphiques

Vous pouvez utiliser les différents outils graphiques pour annoter le texte comme vous le feriez avec un crayon. Ces outils sont le crayon, le rectangle, l'ellipse et la droite. Utilisez-les pour indiquer les zones que vous souhaitez modifier ; vous améliorerez ainsi vos fichiers PDF.

Annoter une page avec les outils graphiques

1. Sélectionnez l'outil que vous souhaitez utiliser.

   Les quatre outils graphiques partagent le même emplacement dans la barre d'outils (voir Figure 10.38). Appuyez sur la touche N pour activer le crayon, puis sur Maj + N pour activer les autres outils tour à tour.

2. Faites glisser la souris dans la page pour dessiner avec l'outil sélectionné (voir Figure 10.39).

Modifier l'épaisseur et la couleur des traits

1. Avec l'outil activé, placez le pointeur de la souris sur votre dessin.

   Le pointeur en croix se transforme en pointeur en flèche.

2. Cliquez sur le bord de la ligne que vous avez dessinée (voir Figure 10.40).

3. Choisissez Propriétés dans le menu Edition (Ctrl + I / Cmd + I).

   La boîte de dialogue de propriétés de l'outil sélectionné s'affiche (voir Figure 10.41).

4. Tapez une nouvelle valeur de trait dans le champ approprié ou utilisez les flèches prévues à cet effet.

5. Cliquez sur le bouton Couleur.

La palette de votre système s'affiche.

6. Choisissez une nouvelle valeur de couleur ou une nouvelle couleur dans la palette (voir Figures 10.42 et 10.43).

7. Cliquez sur OK.

La palette se ferme et vous revenez à la boîte de dialogue de propriétés.

8. Cliquez sur OK pour fermer la boîte de dialogue de propriétés.

◎ Astuces

• Il est également possible de cliquer droit (Ctrl + clic) sur le dessin et de choisir Propriétés dans le menu contextuel pour accéder à la boîte de dialogue de propriétés de l'outil (voir Figure 10.44).

• Avec les outils Rectangle et Ellipse, il est possible de choisir des couleurs de contour et de remplissage différentes.

• Double-cliquez sur une ligne ou une forme pour faire apparaître une zone de texte dans laquelle placer une note.

• Appuyez sur la touche Maj pour contraindre les tracés à un angle de 45°, pour dessiner des ronds avec l'outil Ellipse et des carrés avec l'outil Rectangle. La touche Maj n'a pas d'effet sur l'outil Crayon.

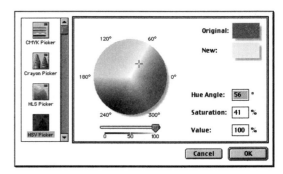

Figure 10.42
Choisissez une couleur dans la palette Macintosh...

Figure 10.43
... ou dans la palette Windows.

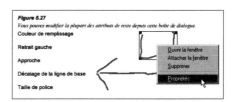

Figure 10.44
Choisissez Propriétés dans le menu contextuel.

Figure 10.45
Les trois outils de marquage permettent
de modifier le texte d'un document.

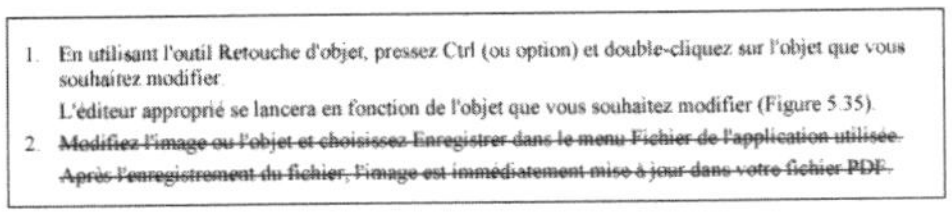

En utilisant l'outil Retouche d'objet, pressez Ctrl (ou option) et double-cliquez sur l'objet que vous
souhaitez modifier.
L'éditeur approprié se lancera en fonction de l'objet que vous souhaitez modifier (Figure 5.35).
Modifiez l'image ou l'objet et choisissez Enregistrer dans le menu Fichier de l'application utilisée.
Après l'enregistrement du fichier, l'image est immédiatement mise à jour dans votre fichier PDF.

Figure 10.46
Le texte a été barré par l'outil Texte barré.

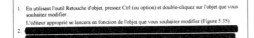

Figure 10.47
Cliquez sur le texte marqué pour le sélectionner.

Utilisation des outils de marquage du texte

Acrobat dispose d'outils qui permettent de marquer directement le texte. Ces annotations seront placées directement sur les mots et non en marge. Ces outils comprennent la Mise en surbrillance, le Texte barré et le Texte souligné. Les autres outils sont masqués sous l'outil Mise en surbrillance (voir Figure 10.45). Cliquez sur la flèche à droite de l'outil Mise en surbrillance pour accéder aux autres outils.

Placer des marques dans le texte

1. Choisissez l'outil que vous souhaitez utiliser pour marquer le texte dans la barre d'outils Commentaires (appuyez sur U ou sur Maj + U).

2. Cliquez sur un mot pour lui appliquer l'effet de l'outil.

   ou

   Faites glisser l'outil sur le texte que vous souhaitez marquer pour appliquer l'effet à plusieurs mots (voir Figure 10.46).

Modifier la couleur de la ligne

1. Pendant que l'outil est activé, cliquez sur le texte marqué pour le sélectionner (voir Figure 10.47).

2. Choisissez Propriétés dans le menu Edition (Ctrl + I / Cmd + I).

   La boîte de dialogue de propriétés de l'outil sélectionné s'affiche.

3. Cliquez sur le bouton Couleur.

   La palette de votre système s'affiche.

4. Choisissez une nouvelle couleur.

5. Cliquez sur OK pour valider la modification de la couleur de l'outil.

Astuces

- Ces outils sélectionnent des mots entiers, ils ne peuvent fonctionner sur un seul caractère ou sur une partie d'un mot.
- Il est également possible d'accéder aux propriétés de l'outil en cliquant droit (Ctrl + clic) sur la marque et en choisissant Propriétés dans le menu contextuel.
- Comme avec les autres outils d'annotation, il est possible de double-cliquer sur une marque pour y ajouter une note.

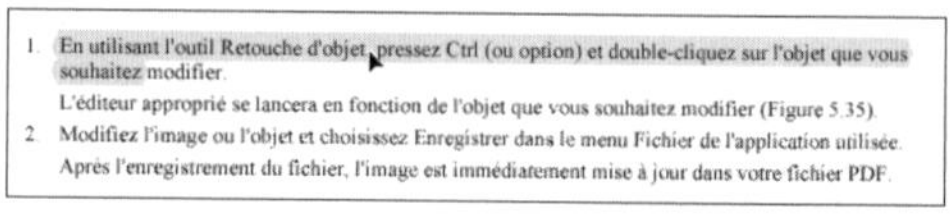

Suppression des marques

Vous pouvez supprimer les marques à tout moment avec n'importe quel outil.

Supprimer une marque

1. A l'aide de n'importe quel outil, cliquez sur la marque dont vous souhaitez vous débarrasser pour la sélectionner.

   Le pointeur de la souris se transforme en flèche lorsqu'il est placé sur une marque (voir Figure 10.48).

2. Appuyez sur Retour arrière/Suppr.

   ou

   Choisissez Edition > Effacer.

   ou

   Effectuez un clic droit ou un Ctrl + clic sur une marque et sélectionnez Supprimer dans le menu contextuel.

Filtrage des annotations

Lorsque plusieurs personnes ont annoté un document, il peut être difficile de déterminer quelles sont les annotations qui vous concernent. Acrobat propose un mécanisme de filtrage qui permet de n'afficher que les annotations qui vous sont destinées.

1. En utilisant l'outil Retouche d'objet, pressez Ctrl (ou option) et double-cliquez sur l'objet que vous souhaitez modifier.

   L'éditeur approprié se lancera en fonction de l'objet que vous souhaitez modifier (Figure 5.35).

2. Modifiez l'image ou l'objet et choisissez Enregistrer dans le menu Fichier de l'application utilisée.

   Après l'enregistrement du fichier, l'image est immédiatement mise à jour dans votre fichier PDF.

Figure 10.48

Lorsque le pointeur se trouve sur du texte en surbrillance, il se transforme en flèche, ce qui permet de sélectionner la marque.

Figure 10.49
La boîte de dialogue Filtrer les commentaires
permet d'afficher toutes les notes qui ont été
ajoutées à un document PDF.

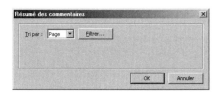

Figure 10.50
Vous pouvez trier les commentaires
par auteur, par date, par page ou par type.

Filtrer les annotations

1. Choisissez Outils > Commentaires > Filtrer.

   La boîte de dialogue Filtrer les commentaires
   s'affiche (voir Figure 10.49). Elle présente
   la liste des personnes qui ont ajouté des
   commentaires au document et le type de
   commentaire utilisé.

2. Dans la liste Des auteurs suivants, supprimez
   les coches en face des noms des personnes
   dont vous ne voulez pas voir les commentaires.

3. Dans la liste Des types suivants, supprimez
   les coches en face des types d'annotations
   que vous ne souhaitez pas afficher.

4. Cliquez sur OK.

   Ne sont affichées que les annotations que
   vous souhaitez.

Résumé des annotations

Acrobat permet de résumer toutes les annotations d'un document. Cette fonction crée un
nouveau fichier PDF contenant tous les commentaires.

Créer un résumé des annotations d'un document

1. Choisissez Outils > Commentaires > Réper-
   torier (Ctrl + Maj + T / Cmd + Maj + T).

   La boîte de dialogue Résumé des commentaires s'affiche.

2. Choisissez comment vous souhaitez trier les
   commentaires, par auteur, par date, par page
   ou par type d'annotation (voir Figure 10.50).

Vous pouvez également exclure certains auteurs ou certains types d'annotations en cliquant sur le bouton Filtrer qui ouvre la boîte de dialogue Filtrer les commentaires (dont il a été question dans la section précédente).

Acrobat peut travailler un certain temps si le document à traiter contient de nombreux commentaires. Un nouveau document est ensuite créé ; il contient la liste de tous les commentaires (voir Figure 10.51).

Une fois que vous avez consulté les commentaires, vous pouvez enregistrer le fichier PDF, l'imprimer ou le fermer sans l'enregistrer.

① Infos

- Les phrases qui ont été marquées avec les outils de marquage (Mise en surbrillance, Texte barré et Texte souligné) apparaissent dans le fichier de résumé.
- La palette Commentaires donne un aperçu de tous les commentaires contenus dans un document (voir Figure 10.52).

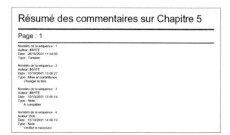

Figure 10.51
Le résumé des commentaires peut être imprimé ou enregistré sous forme de document PDF.

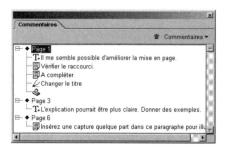

Figure 10.52
La palette Commentaires montre un condensé des annotations contenues dans un document.

Catalogues, index et recherches

Vous trouverez incorporé dans Acrobat une application des plus pratiques appelée Acrobat Catalog. Elle permet de créer des index dans des fichiers PDF. Vous pouvez utiliser Catalog pour indexer un seul document PDF, un dossier de documents PDF ou tous les fichiers PDF se trouvant sur un disque. Les index permettent de gagner du temps lorsque l'on recherche un ou des mots dans un ou plusieurs fichiers PDF. Pour trouver un mot dans un fichier non indexé, vous devez utiliser la commande Rechercher, ce qui peut être long et fastidieux si le document est important.

Lorsque vous traitez un fichier PDF avec Catalog, le programme crée une base de données et liste l'emplacement de chaque mot dans le document. La recherche est donc faite une bonne fois pour toute. Lorsque par la suite, vous recherchez un mot, son emplacement est déjà stocké dans l'index. Pour rechercher un mot dans un fichier indexé, on utilise la commande Recherche (et non Rechercher). Catalog permet entre autres choses d'effectuer une recherche simultanément dans plusieurs documents.

Utilisation d'Acrobat Catalog

Vous pouvez utiliser Catalog pour indexer un fichier PDF ou un groupe de fichiers. Catalog est capable d'organiser les fichiers en groupes de recherche, même s'ils sont éparpillés sur un vaste réseau.

Comme l'index conserve la trace de l'emplacement des mots et des documents, il est nécessaire d'effectuer un travail préparatoire sur les documents avant de les indexer. Si l'index doit être utilisé dans un environnement multi-plate-forme, il faudra également prendre en compte les exigences liées aux différents systèmes d'exploitation. Une description exhaustive de toutes les considérations relatives à la création d'un index dépasse le propos de cet ouvrage, mais vous trouverez de nombreux conseils sur le sujet dans la documentation livrée avec Acrobat.

Préparer un document
pour l'indexation

- La recherche est plus rapide dans les petits documents, pensez donc à diviser vos documents en fichiers PDF en fonction des sections ou des chapitres.

- Préparez le mieux possible vos documents : ajoutez tous les signets et tous les liens dont vous avez besoin, créez tous les champs de formulaire et saisissez les informations requises (dont le titre du document) dans la boîte de dialogue Résumé du document.

- Assurez-vous que tous les noms de fichiers et de dossiers ne posent pas de problèmes de compatibilité entre plates-formes si votre index doit être utilisé dans un environnement multi-plate-forme. Pour plus de sécurité, renommez vos fichiers et dossiers en utilisant la convention MS-DOS.

Figure 11.01
La boîte de dialogue Adobe Catalog est
le point de départ pour la création d'index.

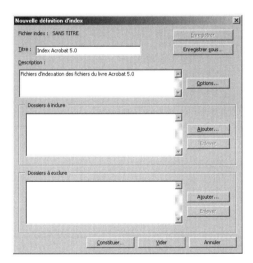

Figure 11.02
La boîte de dialogue Nouvelle définition d'index
permet de nommer l'index, de le décrire et de
choisir les dossiers à traiter ou non.

- Rassemblez tous les documents à indexer dans un dossier unique. Catalog stockera le fichier résultant de l'indexation dans ce dossier. Les documents peuvent être placés dans des sous-dossiers de ce dossier, mais les documents doivent rester dans la même hiérarchie de dossier après l'indexation, sinon il sera impossible de les localiser.

Création d'index

Lorsque vos fichiers sont prêts, nommés et stockés dans une hiérarchie de dossiers, vous pouvez utiliser Adobe Catalog pour créer un index.

Créer un index

1. Choisissez Catalog dans le menu Outils.

   La boîte de dialogue Adobe Catalog s'affiche.

2. Cliquez sur le bouton Nouvel index (voir Figure 11.1).

   La boîte de dialogue Nouvelle définition d'index s'affiche (voir Figure 11.2).

3. Saisissez le titre de l'index et une brève description dans les champs appropriés.

4. Utilisez les liste Dossiers à inclure et Dossiers à exclure pour indiquer quels dossiers inclure dans l'index.

5. Cliquez sur le premier bouton Ajouter pour ouvrir la boîte de dialogue Rechercher un dossier (voir Figures 11.3 et 11.4).

6. Affichez le dossier que vous souhaitez inclure dans l'index et cliquez sur OK/Sélectionner.

   Vous revenez à la boîte de dialogue Nouvelle définition d'index. Le nom du dossier sélectionné apparaît dans la liste Dossiers à inclure. Utilisez le bouton Enlever pour supprimer tout dossier sélectionné par erreur.

7. Répétez les étapes 5 et 6 dans la section Dossiers à exclure pour indiquer quels dossiers vous souhaitez exclure de l'indexation.

8. Cliquez sur le bouton Options pour configurer les options avancées de l'indexation.

   La boîte de dialogue Options s'ouvre (voir Figure 11.5). La plupart des fonctions qu'elle contient sont les mêmes que celles que l'on trouve dans la boîte de dialogue Préférences de Catalog qui s'ouvre depuis l'écran principal de Catalog. Vous pouvez choisir d'exclure les nombres et certains mots pour accélérer l'indexation, vous pouvez également y configurer les critères de recherche sur les mots.

9. Après avoir terminé la définition du fichier d'index, cliquez sur le bouton Constituer pour lancer l'indexation.

   La boîte de dialogue Enregistrer le fichier index s'affiche (voir Figure 11.6).

10. Choisissez un emplacement dans lequel stocker l'index, tapez un nom de fichier ou acceptez le nom par défaut et cliquez sur Enregistrer.

Figure 11.3
Sur un Macintosh, sélectionnez le dossier souhaité et cliquez sur Choisir.

Figure 11.4
Sous Windows, cliquez sur l'icône d'un dossier pour afficher ses sous-dossiers.

Figure 11.5
La boîte de dialogue Options permet d'exclure certains éléments pour réduire la taille de l'index.

Figure 11.6
Nommez l'index et indiquez où vous souhaitez l'enregistrer.

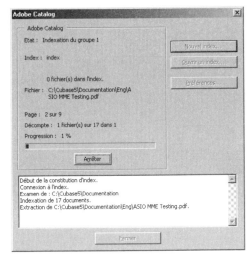

Figure 11.7
Vous pouvez observer la progression de la création de l'index dans la boîte de dialogue Acrobat Catalog.

Vous pouvez observer la progression de la création de l'index dans la boîte de dialogue Adobe Catalog (voir Figure 11.7). L'index est enregistré au format .pdx.

11. Cliquez sur le bouton Fermer lorsque l'index est créé.

Modification des index

Si vous souhaitez ajouter des documents à votre ensemble de fichiers, vous devrez les indexer et les ajouter à l'index de votre ensemble. De même si un document est supprimé d'un ensemble, il est préférable de supprimer son index de l'index général.

Ajouter un index

1. Choisissez Catalog dans le menu Outils.

La boîte de dialogue Adobe Catalog s'ouvre.

2. Cliquez sur le bouton Ouvrir un index pour ouvrir l'index auquel vous souhaitez ajouter des éléments.

La boîte de dialogue Sélectionner le fichier index s'affiche.

3. Sélectionnez l'index qui vous intéresse et cliquez sur Ouvrir.

La boîte de dialogue Définition de l'index s'ouvre.

4. Cliquez sur le bouton Ajouter en face de la liste Dossiers à inclure (voir Figure 11.8).

5. Ajoutez les dossiers qui contiennent les nouveaux éléments et excluez au besoin les sous-répertoires.

6. Cliquez sur le bouton Enregistrer ou Enregistrer sous pour conserver le nom d'origine du fichier ou le renommer.

7. Cliquez sur le bouton Constituer pour ajouter les nouveaux éléments à l'index.

Supprimer des dossiers d'un index

1. Choisissez Catalog dans le menu Outils.

La boîte de dialogue Adobe Catalog s'ouvre.

2. Cliquez sur le bouton Ouvrir un index pour ouvrir l'index que vous souhaitez modifier.

La boîte de dialogue Sélectionner le fichier index s'affiche.

3. Sélectionnez l'index qui vous intéresse et cliquez sur Ouvrir.

La boîte de dialogue Définition de l'index s'ouvre.

4. Sélectionnez les dossiers à supprimer dans la section Dossiers à inclure et cliquez sur le bouton Enlever.

5. Cliquez sur le bouton Enregistrer ou Enregistrer sous pour conserver le nom d'origine du fichier ou le renommer.

6. Cliquez sur le bouton Constituer pour supprimer les fichiers sélectionnés de votre index.

Figure 11.8
Cliquez sur le bouton Ajouter pour ajouter de nouveaux dossiers à l'index.

⊚ Astuce

Le bouton Vider dans la boîte de dialogue Définition de l'index peut être utile. Si vous avez effectué d'importants changements dans un dossier indexé, le fait de vider l'index le reconstruit intégralement. Les entrées qui ne sont plus valides sont supprimées. L'utilisation de cette commande permet de réduire la taille d'un index et d'accélérer légèrement la recherche.

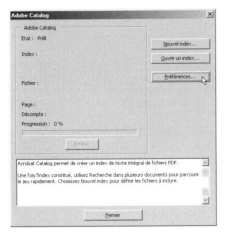

Figure 11.9
Cliquez sur le bouton Préférences pour ouvrir
la boîte de dialogue Préférences de Catalog.

Figure 11.10
Les préférences générales contiennent des options
relatives à la taille de l'index et à l'accessibilité.

Figure 11.11
Les choix de la section Options par défaut sont
semblables à ceux que l'on trouve dans la boîte
de dialogue Options.

Configuration des préférences de Catalog

Catalog est largement personnalisable. Plusieurs
paramètres sont modifiables dans la boîte de dialogue Préférences de Catalog, mais à moins
d'être sûr de ce que vous faites, il est fortement
recommandé de ne toucher à rien. Voici cependant quelques conseils pour mieux adapter
Catalog à vos besoins. Si vous souhaitez plus
d'informations sur le sujet, consultez la documentation du programme.

Modifier les préférences de Catalog

1. Choisissez Catalog dans le menu Outils.

    La boîte de dialogue Adobe Catalog s'ouvre
    (voir Figure 11.9).

2. Cliquez sur le bouton Préférences pour ouvrir
    la boîte de dialogue Préférences de Catalog.

3. Effectuez les modifications souhaitées dans
    les cinq sections proposées :

    –   La section **Générales** (voir Figure 11.10)
        permet de modifier les paramètres géné-
        raux des index. Ces paramètres ajustent la
        taille du document en fonction de la RAM
        disponible. Le paramètre Taille d'un
        segment (mots) par défaut devrait suffire à
        la plupart des utilisateurs.

    –   La section **Options par défaut** (voir
        Figure 11.11) contient des options
        qui permettent à l'utilisateur d'utiliser
        plusieurs critères de recherche en plus de
        la recherche exacte des caractères. Vous
        pouvez cocher la case Optimiser pour un
        CD-ROM si vous envisagez de distribuer
        vos documents sur ce support.

Chapitre II

– La section **Journal** (voir Figure 11.12)
permet d'activer ou de désactiver la consi-
gnation dans un fichier journal. Elle
permet également de définir les caractéris-
tiques du journal, comme son nom, sa
taille et sa zone de stockage. Par défaut,
chaque fois que vous créez ou que vous
mettez à jour un journal, le catalogue
conserve la trace des erreurs et des autres
messages générés durant la création de
l'index.

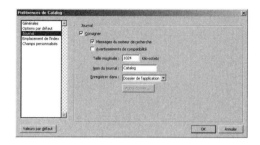

Figure 11.12
Vous pouvez activer ou désactiver le journal
et choisir quels messages enregistrer.

– La section **Emplacement de l'index** (voir
Figure 11.13) permet de définir un nom
par défaut pour les index générés par
Catalog. Elle permet également d'indiquer
si l'index doit être enregistré dans le
premier dossier indexé ou hors de ce
dossier.

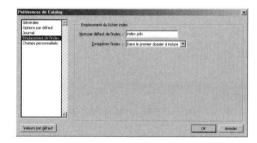

Figure 11.13
Entrez un nom par défaut et choisissez l'emplacement
où vous enregistrerez les nouveaux index.

– La section **Champs personnalisés** (voir
Figure 11.14) peut être utile si les dossiers
indexés contiennent des formulaires.
Vous pouvez alors ajouter les champs aux
éléments indexés, ce qui permettra aux
utilisateurs de les rechercher.

4. Lorsque vous avez fini de configurer les préférences, cliquez sur OK.

Figure 11.14
Si vos dossiers contiennent des champs,
vous pouvez spécifier quels champs indexer.

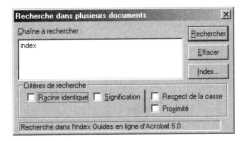

Figure 11.15
Entrez les mots recherchés dans le champ
Chaîne à rechercher.

Cliquez
ici pour
afficher
le document

Ordre de
pertinence

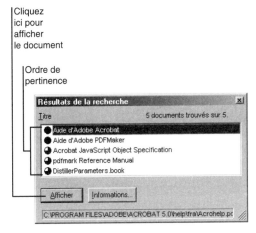

Figure 11.16
Les résultats de la recherche s'affichent dans
la boîte de dialogue Résultats de la recherche.

Utilisation des index

Une fois qu'un fichier PDF a été indexé avec
Catalog, vous pouvez y effectuer des recherches
à l'aide de l'outil Recherche qui est plus souple et
plus efficace que l'outil Rechercher. Vous pouvez effectuer une recherche sur le contenu de
champs de formulaires, rechercher des mots
qui ont une racine ou une signification com-
mune et même utiliser des opérateurs booléens
dans votre chaîne de recherche. Ce livre ne traite
pas les recherches complexes, mais vous trouverez toutes les informations nécessaires dans la
documentation d'Acrobat.

Effectuer une recherche

1. Choisissez Edition > Rechercher dans
   plusieurs documents > Recherche
   (Ctrl + Maj + F / Cmd + Maj + F) ou cliquez
   sur le bouton Recherche dans plusieurs documents dans la barre d'outils Fichier.

   La boîte de dialogue Recherche dans
   plusieurs documents s'affiche (voir
   Figure 11.15).

2. Dans le champ Chaîne à rechercher, tapez le
   ou les mots que vous souhaitez rechercher.

3. Activez ou non les différentes options de
   recherche en fonction de vos besoins.

4. Cliquez sur le bouton Rechercher pour lancer
   la recherche.

   Lorsque la recherche est terminée, la boîte de
   dialogue Résultats de la recherche s'affiche.
   Elle affiche tous les documents qui contiennent des mots correspondant aux critères de
   recherche (voir Figure 11.16). A côté du nom
   de chaque document figure un petit camembert qui reflète le niveau de pertinence du

résultat. Plus le camembert est plein, plus la réponse est pertinente.

5. Sélectionnez le document que vous souhaitez afficher et cliquez sur le bouton Afficher.

Le fichier PDF sélectionné s'ouvre et affiche le résultat de la recherche en surbrillance (voir Figure 11.17).

6. Passez d'un résultat au suivant en utilisant les boutons (masqués) Occurrence précédente et Occurrence suivante de la barre d'outils Fichier.

Lorsqu'un fichier PDF indexé est ouvert, par défaut, son index est toujours disponible pour la recherche. Il est cependant possible de configurer Acrobat et Acrobat Reader pour rechercher simultanément des mots dans plusieurs index.

Ajouter un index

1. Choisissez Edition > Recherche dans plusieurs documents > Index (Ctrl + Maj + X / Cmd + Maj + X) [voir Figure 11.18].

La boîte de dialogue Sélectionner un index s'affiche.

2. Cliquez sur le bouton Ajouter pour ajouter un index.

La boîte de dialogue Sélectionner un index s'affiche (voir Figure 11.19).

3. Sélectionnez l'index que vous souhaitez utiliser dans vos recherches.

4. Cliquez sur Ouvrir.

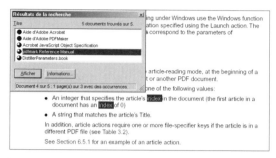

Figure 11.17
Les termes de recherche apparaissent en surbrillance dans le document PDF.

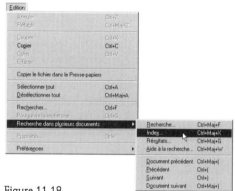

Figure 11.18
Choisissez Edition > Recherche dans plusieurs documents > Index pour créer une recherche sur plusieurs index.

Figure 11.19
Choisissez un index parmi les index existants.

Capture Web
et capture papier

Ne serait-il pas intéressant de pouvoir convertir automatiquement un site Web en document PDF tout en conservant ses liens et de pouvoir faire de même avec des documents papier ? Il deviendrait alors possible d'archiver électroniquement ces documents et de les distribuer par e-mail ou CD-ROM. Et bien, vos désirs sont des ordres car Acrobat propose en effet un plug-in capable de s'acquitter de ce genre de tâche.

Acrobat permet de capturer des pages Web et de scanner des documents contenant des images, du texte, des colonnes et d'autres éléments tout en conservant les liens, les images, les couleurs, les polices et la plupart des autres éléments.

Scanner un document dans Acrobat

Pour convertir un document papier en document au format PDF, vous devez commencer par créer une image de ce document exploitable sur votre ordinateur. La technique la plus simple consiste à scanner le document. Acrobat est capable de contrôler le processus de numérisation par le biais de la commande Importer.

Utiliser un logiciel de numérisation

En général, lorsque vous installez le logiciel livré avec votre scanner, le programme d'installation recherche tous les logiciels capables d'exploiter ce périphérique et installe un module de commande du scanner dans chacune des applications compatibles.

Scanner des images et du texte

Lorsque vous scannez un document, gardez à l'esprit que plus la qualité de numérisation sera élevée, plus le fichier résultant sera lourd. Il faut donc parvenir au meilleur compromis qualité/poids en fonction de l'utilisation que l'on souhaite faire de l'image. Rappelons que non contente d'occuper beaucoup de place sur un disque, une grosse image est également lente à manipuler.

Avant de commencer à numériser, prenez en considération deux critères : le mode de couleur et la résolution. Pour le mode de couleur, vous utiliserez le plus souvent les modes RVB et Nuances de gris. Si le document à numériser est en couleur, utilisez le mode RVB, s'il est en noir et blanc, numérisez-le en nuances de gris. Numérisez les images en couleur en nuances de gris si vous souhaitez réduire la taille du fichier résultant ou si le fichier PDF doit être imprimé sur une imprimante noir et blanc.

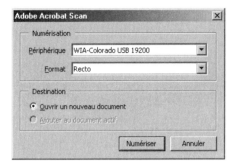

Figure 12.1
La boîte de dialogue Adobe Acrobat Scan.

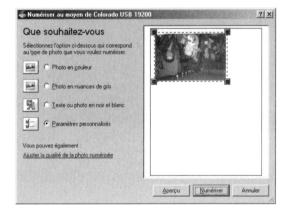

Figure 12.2
Choisissez les paramètres de résolution et de couleur à utiliser.

La *résolution* correspond à la finesse des détails, elle est mesurée en points par pouce (ppp ou dpi). Choisissez une résolution en fonction du contenu du document et de l'utilisation que vous comptez faire de l'image numérisée. Si le document est composé d'images et doit être lu à l'écran uniquement, utilisez une résolution de 75 ppp. Si le document contient du texte et que vous souhaitiez faire des recherches de mots dans ce texte, vous devrez utiliser une résolution plus élevée de l'ordre de 300 ppp. Les images complexes peuvent demander un niveau de résolution plus élevé encore (600 ppp, par exemple).

Scanner une image à capturer

1. Placez le document à numériser dans le scanner.

2. Choisissez Fichier > Importer > Numériser.

   La boîte de dialogue Adobe Acrobat Scan s'ouvre (voir Figure 12.1).

3. Dans le menu Périphérique, choisissez votre scanner.

4. Choisissez Recto ou Recto-Verso dans le menu Format en fonction de la nature de votre original.

5. Dans la section Destination, indiquez si vous souhaitez créer un nouveau document PDF sur la base de la numérisation ou si vous souhaitez ajouter l'élément scanné au document courant.

6. Cliquez sur Numériser.

   Votre logiciel de numérisation est lancé (voir Figure 12.2).

7. Ajustez les différents paramètres disponibles dont le mode de couleur, la destination et la résolution.

8. Cliquez sur le bouton Numériser.

9. Si vous devez scanner plusieurs documents, cliquez sur OK et continuez.

10. Cliquez sur le bouton Terminer dans la boîte de dialogue Adobe Acrobat Scan lorsque vous avez fini de scanner vos documents (voir Figure 12.3).

    Acrobat convertit l'image en fichier PDF sans titre (voir Figure 12.4).

11. Enregistrez le fichier.

◎ Astuces

- Vous avez la possibilité de faire pivoter un document scanné dans Acrobat en choisissant Pivoter des pages dans le menu Document (Ctrl + R / Cmd + R). Vous pouvez faire pivoter certaines pages ou toutes les pages du document.

- Si l'image numérisée présente trop d'espaces autour de son contenu, utilisez la commande Recadrer des pages dans le menu Document (Ctrl + T / Cmd + T). Cette commande permet de recadrer certaines pages ou toutes les pages du document.

Capture et modification d'images et de texte

Le fichier PDF que vous venez de créer est un simple fichier image. Même s'il contient du texte, il ne s'agit en fait que d'une image de texte. Le fichier n'est donc pas reconnu en tant que texte et ne peut donc être modifié ou indexé. Pour remédier à ce problème, il faut capturer le document. Ce processus convertit du texte scanné en texte éditable et les images en objets-images autonomes dans le document.

Figure 12.3
Cliquez sur le bouton Terminer de cette boîte de dialogue lorsque vous avez fini de numériser vos documents.

Figure 12.4
Acrobat convertit l'image en fichier PDF sans titre.

Le processus de capture analyse le contenu du document et convertit le texte en texte éditable tout en conservant la mise en page du document. Grâce à cette conversion, le texte (sous forme de caractères) occupe beaucoup moins de place qu'un texte sous forme d'image.

Il existe plusieurs modules Capture et tous ne sont pas livrés avec Acrobat 5.0. Le module de capture papier pour Windows est en téléchargement libre sur le site Adobe (**www.adobe.com/ support/downloads/898a.htm**), mais il est assez lourd. Au moment de l'écriture de cet ouvrage, la seule méthode permettant aux utilisateurs Mac de capturer des documents consistait à utiliser le service en ligne Create PDF d'Adobe. Pour utiliser ce service, il faut charger son document sur le site Web Adobe et le document capturé est renvoyé par e-mail ou placé sur FTP. Ce service est payant, mais les cinq premiers documents peuvent être capturés gratuitement. Pour utiliser ce service, connectez-vous à l'adresse **www.createpdf.adobe.com** et suivez les instructions.

Pour préparer un document pour la capture papier, vous devez utiliser les paramètres suivants :

- 200 à 600 ppp pour les images en noir et blanc (l'utilisation d'une résolution de 300 ppp est recommandée).

- 200 à 400 ppp pour les images en couleur et en nuances de gris.

Si vous ne suivez pas ces recommandations, Paper Capture vous renverra un message d'erreur.

Info

Si vous avez beaucoup de documents à convertir en fichiers PDF, il peut être intéressant d'investir dans le programme autonome Capture d'Adobe. Cette version complète fonctionne comme une application serveur que plusieurs utilisateurs peuvent employer sur un réseau. Ce programme n'est disponible que pour les plates-formes Windows NT et 2000. Une version antérieure, Capture 2.0, existe pour une utilisation personnelle sous Windows 95/98.

Travail sur un texte numérisé

Si vous souhaitez pouvoir modifier le texte que vous avez scanné, vous devez le convertir dans un des trois formats suivants :

- **Texte formaté et images** est utilisé avec la plupart des fichiers PDF standard. Il remplace le texte sous forme d'image par du texte modifiable en utilisant une police qui ressemble à celle du document d'origine.

- **Image indexable (exacte)** conserve l'apparence graphique du document d'origine, mais ajoute un texte indexable dans un calque invisible sous la représentation graphique du document.

- **Image indexable (compacte)** segmente l'image d'origine en différentes zones compressées, ce qui nuit à la qualité de l'image, mais permet d'obtenir un fichier plus petit.

Convertir un texte numérisé en texte modifiable

1. Ouvrez le fichier scanné que vous avez enregistré au format PDF.

2. Choisissez Paper Capture dans le menu Outils.

   La boîte de dialogue Module externe Paper Capture s'affiche (voir Figure 12.5).

3. Sélectionnez Page active.

   Si vous souhaitez capturer plus d'une page, sélectionnez Toutes les pages pour capturer toutes les pages ou De la page pour ne capturer qu'une plage de pages donnée.

Figure 12.5
La boîte de dialogue Module externe Paper Capture permet de sélectionner les pages à capturer.

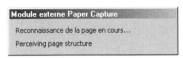

Figure 12.6
La boîte de dialogue Module externe Paper Capture
montre la progression de la conversion.

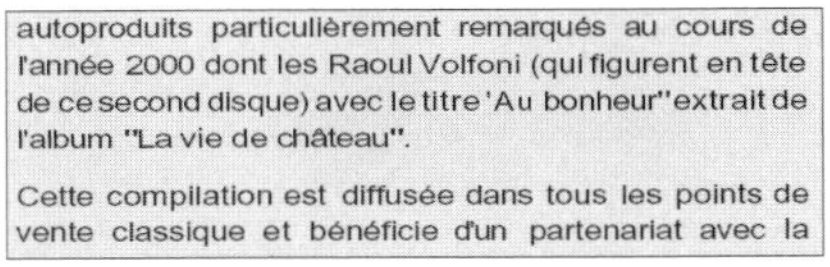

autoproduits particulièrement remarqués au cours de
l'année 2000 dont les Raoul Volfoni (qui figurent en tête
de ce second disque) avec le titre 'Au bonheur''extrait de
l'album ''La vie de château''.

Cette compilation est diffusée dans tous les points de
vente classique et bénéficie d'un partenariat avec la

Figure 12.7
Le fichier scanné est un peu gris avant la conversion...

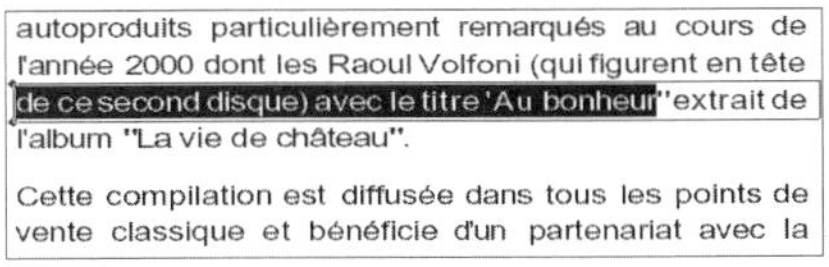

autoproduits particulièrement remarqués au cours de
l'année 2000 dont les Raoul Volfoni (qui figurent en tête
de ce second disque) avec le titre 'Au bonheur''extrait de
l'album ''La vie de château''.

Cette compilation est diffusée dans tous les points de
vente classique et bénéficie d'un partenariat avec la

Figure 12.8
... et devient beaucoup plus blanc une fois converti.

Figure 12.9
Utilisez l'outil retouche de texte
pour modifier le texte capturé.

4. Cliquez sur OK.

La boîte de dialogue Module externe Paper
Capture montre la progression de la conversion (voir Figure 12.6).

Lorsque la conversion est terminée, le
document apparaît sous sa forme capturée.

La Figure 12.7 montre un document PDF avant
la capture et la Figure 12.8 présente le même
document après la capture. La différence majeure
entre les deux figures est que l'arrière-plan du
document scanné est plus gris que celui du document converti. Bien sûr, le texte est désormais
modifiable.

Modifier un texte capturé

1. Activez l'outil Retouche de texte dans la barre
d'outils (voir Figure 12.9).

2. Cliquez sur le texte que vous souhaitez modifier.

Comme le texte est maintenant modifiable,
vous pouvez changer les lettres, l'orthogra-
phe et la ponctuation en sélectionnant le texte
et en le remplaçant.

3. Tapez les caractères de remplacement.

4. Pour continuer à lire le document, activez
l'outil Main dans la barre d'outils.

Travail avec les suspects

Parfois, le plug-in a des difficultés à interpréter des mots ou des caractères. Dans ce cas, le programme marque l'élément incriminé comme suspect. Cette section montre comment passer en revue les suspects dans un fichier PDF capturé.

Passer en revue les suspects

1. Choisissez Outils > Retouche de texte > Afficher les suspects trouvés (voir Figure 12.10).

   Les mots suspects apparaissent dans la fenêtre d'Acrobat et sont encadrés par des rectangles rouges. (voir Figure 12.11).

2. Choisissez Outils > Retouche de texte > Rechercher le premier suspect (Ctrl + H / Cmd + H).

   La boîte de dialogue Recherche de suspect s'affiche (voir Figure 12.12).

3. Pour accepter l'interprétation d'Acrobat, cliquez sur le bouton Accepter ou appuyez sur la touche Tabulation.

   En appuyant sur la touche Tabulation, vous validez l'interprétation d'Acrobat, et vous passez au suspect suivant. Si vous n'acceptez pas le suspect, vous pouvez laisser l'image du texte à la place.

4. Pour trouver le suspect suivant, cliquez sur Ignorer (Ctrl + H / Cmd + H).

5. Répétez l'étape 3 jusqu'à ce que tous les suspects aient été passé en revue.

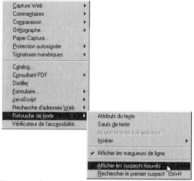

Figure 12.10

Pour rechercher les suspects, choisissez Outils > Retouche de texte > Afficher les suspects trouvés.

Figure 12.11

Les mots suspects s'affichent dans la fenêtre d'Acrobat et sont encadrés de rouge.

Figure 12.12

Cliquez sur Accepter pour valider l'interprétation d'Acrobat.

Figure 12.13
Cliquez sur le bouton Préférences pour ouvrir la boîte de dialogue du même nom avec l'option Capture Paper activée.

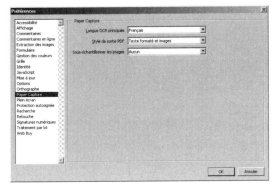

Figure 12.14
Configurez les préférences de Capture Paper et cliquez sur OK.

Configuration des préférences de capture

Lorsque Capture convertit les images en texte éditable, vous devez lui indiquer dans quelle langue et quel alphabet travailler. Le langage peut être sélectionné dans la boîte de dialogue Préférences. Vous pouvez également y choisir la définition de sous-échantillonage des images et le style de sortie PDF à employer.

Modifier les préférences de Paper Capture

1. Choisissez Paper Capture dans le menu Outils.

   La boîte de dialogue Module externe Paper Capture s'ouvre.

2. Cliquez sur le bouton Préférences (voir Figure 12.13).

   La boîte de dialogue Préférences s'ouvre avec l'option Paper Capture sélectionnée (voir Figure 12.14).

3. Dans les menus, choisissez le style de sortie, la langue du document et la résolution des images sous-échantillonées.

4. Cliquez sur OK.

Conversion de sites Web en documents PDF

Acrobat est capable de transformer des pages Web en documents PDF. Il est même capable de transformer un site entier en un seul document PDF tout en conservant les liens.

Acrobat permet de contrôler le nombre de niveaux à télécharger dans un site : une seule page (un niveau), une page, toutes les pages auxquelles elle est liée (deux niveaux), voire à un site entier.

Faites attention lorsque vous chargez un site entier, car vous risquez d'être surpris par le volume qu'il occupe. De plus de nombreux sites disposent de plusieurs copies d'une même page adaptées aux différentes vitesses de téléchargement des utilisateurs. Par ailleurs, certains sites proposent une version enrichie en image pour les utilisateurs disposant d'une connexion rapide, ce qui peut doubler la taille d'un site. Certains sites existent également en plusieurs langues.

Convertir une page Web en document PDF

1. Choisissez Ouvrir une page Web dans le menu Fichier.

   La boîte de dialogue Ouvrir une page Web s'affiche (voir Figure 12.15).

2. Dans la zone de texte URL, tapez l'URL de la page Web que vous souhaitez convertir en document PDF.

3. Dans la section Options, entrez 1 dans le champ Niveau.

4. Cliquez sur le bouton Télécharger.

   Le téléchargement de la page commence. Après quelques instants, la page s'affiche dans Acrobat sous forme de document PDF (voir Figure 12.16).

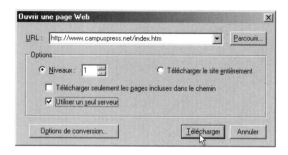

Figure 12.15
Entrez une URL et indiquez le nombre de niveaux à charger. Cliquez ensuite sur le bouton Télécharger.

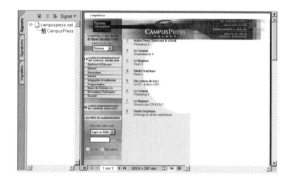

Figure 12.16
La page Web s'affiche dans Acrobat sous forme de document PDF.

Figure 12.17
Activez l'option Télécharger le site entier.

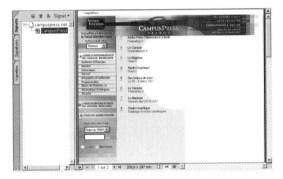

Figure 12.18
Le site téléchargé est transformé en document PDF.

Convertir un site en document PDF

1. Choisissez Ouvrir une page Web dans le menu Fichier.

   La boîte de dialogue Ouvrir une page Web s'affiche.

2. Dans la zone de texte URL, tapez l'URL du site Web que vous souhaitez convertir en document PDF.

3. Dans la section Options, activez l'option Télécharger le site entier (voir Figure 12.17).

4. Cliquez sur le bouton Télécharger.

   Après quelques instants, le site s'affiche dans Acrobat sous forme de document PDF (voir Figure 12.18).

ⓢ Astuce

Pour savoir quel type de téléchargement vous êtes sur le point d'effectuer, il est fortement conseillé de visiter le site avant de le transformer en document PDF.

Les signatures numériques

La signature numérique est devenue un standard pour signer des documents électroniques importants et elle aura sans doute bientôt la même valeur qu'une signature manuelle. Acrobat 5.0 offre aux utilisateurs la possibilité de créer une signature numérique sous trois formes : un nom écrit à la main, un logo, un symbole ou du texte. Non seulement vous pouvez créer une signature numérique que vous apposerez sur vos documents, mais vous pouvez également vérifier l'authenticité d'une signature. Une fois qu'un document est signé numériquement, il est également possible d'empêcher sa modification ou de conserver l'original. Acrobat Self-Sign Security est le gestionnaire de signature d'Acrobat par défaut, mais vous pouvez choisir un autre programme.

Gestion des signatures numériques

Acrobat Self-Sign Security lit le profil assigné à chaque signature pour vérifier son authenticité. Il contient une clé publique et une clé privée qui permettent de créer les signatures et de les vérifier. La clé privée est protégée par un mot de passe de manière que seul l'utilisateur attitré puisse l'employer. La clé publique est utilisée pour authentifier la signature et est incorporée dans le document PDF.

Avant de pouvoir utiliser une signature numérique, il faut choisir un gestionnaire de signature.

Choisir un gestionnaire de signature par défaut

1. Choisissez Edition > Préférences > Générales (Ctrl + K / Cmd + K).

   La boîte de dialogue Préférences s'affiche.

2. Sélectionnez Signatures numériques dans la liste de gauche (voir Figure 13.1).

3. Choisissez un gestionnaire de signature dans le menu Gestionnaire de signature par défaut.

   A moins que vous n'ayez installé un autre programme, Acrobat Self-Sign Security est le seul gestionnaire disponible.

4. Cochez la case Authentifier les signatures à l'ouverture d'un document pour vérifier l'authenticité d'un document lors de son ouverture (voir Figure 13.2).

5. Cliquez sur OK pour accepter les modifications.

⊚ Astuce

Vous pouvez installer des gestionnaires complémentaires en plaçant un plug-in de gestionnaire de signature dans le dossier Plug-in d'Acrobat. Verisign est un célèbre gestionnaire de signature, il est disponible gratuitement sur PlanetPDF (**www.pdfstore.com**).

Figure 13.1

Sélectionnez Signatures numériques dans la liste de gauche.

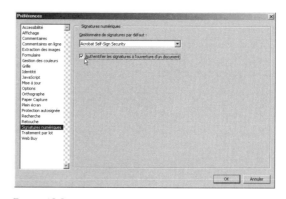

Figure 13.2

Activez l'option Authentifier les signatures à l'ouverture d'un document.

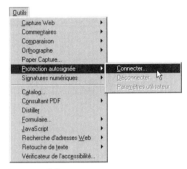

Figure 13.3

Choisissez Outils > Protection autosignée > Connecter.

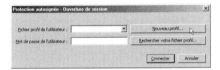

Figure 13.4

Cliquez sur le bouton Nouveau profil pour créer un profil.

Figure 13.5

Entrez les informations requises dans les sections Paramètres utilisateur et Fichier profil.

Figure 13.6

Nommez votre profil et cliquez sur Enregistrer.

Configuration d'un profil de signature

La prochaine étape consiste à créer une signature numérique. Le profil que vous allez configurer sera protégé par mot de passe. Il représente votre clé privée. Lorsque vous enregistrez le profil, la clé est incorporée dans les documents que vous signez. Si vous devez signer un document avec deux rôles (président et trésorier, par exemple), vous devrez utiliser deux profils différents. Comme les informations contenues dans votre profil sont cruciales, il est fortement conseillé d'effectuer des copies de sauvegarde de ce profil dès sa création.

Créer un profil

1. Choisissez Outils > Protection autosignée > Connecter (voir Figure 13.3).

   La boîte de dialogue Protection autosignée s'ouvre.

2. Cliquez sur le bouton Nouveau profil (voir Figure 13.4).

   La boîte de dialogue Nouvel utilisateur s'ouvre.

3. Entrez les informations requises dans les sections Paramètres utilisateur et Fichier profil, puis cliquez sur OK (voir Figure 13.5).

   La boîte de dialogue Nouveau fichier profil Acrobat Self-Sign Security vous demande d'enregistrer votre nouveau profil (voir Figure 13.6).

4. Entrez un nom et cliquez sur OK.

ⓘ Info

Par défaut, le profil est enregistré dans le dossier Mes documents\Adobe\Acrobat (Windows) ou Documents:Profils (Mac). Acrobat crée automatiquement ces dossiers.

Sauvegarder un profil

1. Connectez-vous avec votre nom d'utilisateur en choisissant Outils > Protection autosignée > Connecter.

   La boîte de dialogue Protection autosignée s'ouvre.

2. Entrez votre mot de passe et cliquez sur Connecter.

   La boîte de dialogue Protection autosignée – Alerte s'affiche et indique que vous êtes connecté (voir Figure 13.7).

3. Cliquez sur le bouton Paramètres utilisateur.

   La boîte de dialogue Protection autosignée – Paramètres spécifiques à s'ouvre (voir Figure 13.8).

4. Sélectionnez Informations utilisateur dans la liste de gauche.

5. Cliquez sur le bouton Sauvegarder dans la section Fichier profil pour choisir un emplacement de sauvegarde.

   La boîte de dialogue Rechercher un dossier s'affiche.

   On a créé un nouveau dossier appelé "Dossier de sauvegarde" dans le sous-dossier Documents du disque dur (voir Figure 13.9).

6. Dans la boîte de dialogue Rechercher un dossier, sélectionnez le dossier de sauvegarde et cliquez sur OK pour enregistrer votre profil dans ce dossier (voir Figure 13.10).

   La boîte de dialogue se ferme et vous revenez à la boîte de dialogue précédente.

7. Cliquez sur le bouton Fermer.

Figure 13.7
Cette boîte de dialogue vous informe que vous êtes connecté avec votre nouveau profil.

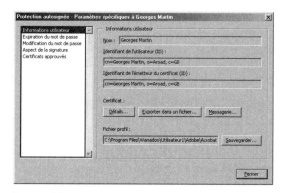

Figure 13.8
Saisissez les informations que vous souhaitez associer à votre signature et cliquez sur le bouton Sauvegarder pour faire une copie de votre profil.

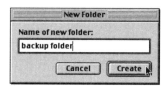

Figure 13.9
On a créé un nouveau dossier appelé "Dossier de sauvegarde" dans lequel on va enregistrer la copie du profil.

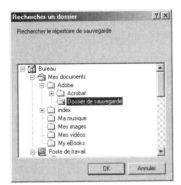

Figure 13.10
Sélectionnez le dossier dans lequel vous souhaitez effectuer une copie de sauvegarde et cliquez sur OK.

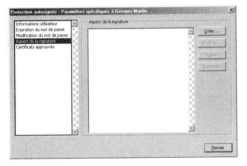

Figure 13.11
Sélectionnez Aspect de la signature dans la liste de gauche et cliquez sur le bouton Créer.

Figure 13.12
Donnez un titre à la signature et cliquez sur le bouton Fichier PDF pour l'importer.

Création d'une signature numérique

Une fois que vous avez créé et enregistré votre profil, vous pouvez créer une signature que vous apposerez aux documents.

Ajouter une signature manuelle au profil

1. Numérisez votre signature dans un programme graphique (comme Photoshop) ou utilisez un programme comme Illustrator pour créer une signature et enregistrez-la au format PDF.

2. Si vous n'êtes pas déjà connecté, faites-le et ouvrez la boîte de dialogue Protection autosignée – Paramètres spécifiques à.

3. Sélectionnez Aspect de la signature dans la liste de gauche et cliquez sur le bouton Créer (voir Figure 13.11).

   La boîte de dialogue Configuration de l'aspect de la signature s'affiche (voir Figure 13.12).

4. Donnez un titre à la signature et cliquez sur le bouton Fichier PDF dans la section Configuration du graphique.

   La boîte de dialogue Sélectionner une image s'affiche.

5. Cliquez sur le bouton Parcourir pour localiser votre fichier.

   La boîte de dialogue Ouvrir s'affiche.

6. Sélectionnez le fichier PDF de votre signature et cliquez sur le bouton Sélectionner.

   Vous revenez à la boîte de dialogue Sélectionner une image.

7. Cliquez sur OK.

Un aperçu de la signature s'affiche (voir Figure 13.13).

8. Cliquez sur OK.

La boîte de dialogue Sélectionner une image se ferme et vous revenez à la boîte de dialogue Configuration de l'aspect de la signature.

9. Cliquez sur OK.

Vous revenez à la boîte de dialogue Protection autosignée – Paramètres spécifiques à.

10. Cliquez sur le bouton Fermer.

⑥ Astuces

- Vous pouvez suivre ces étapes pour ajouter une illustration ou un logo à votre profil de signature (voir Figure 13.14).

- Dans la section Configuration du texte de la boîte de dialogue Configuration de l'aspect de la signature, vous pouvez choisir d'afficher des informations complémentaires à côté de votre signature. Ces informations correspondent entre autres à la date, au motif et au lieu de la signature.

Supprimer une signature d'un profil

1. Connectez-vous et ouvrez la boîte de dialogue Protection autosignée – Paramètres spécifiques à.

2. Sélectionnez l'option Aspect de la signature dans la liste de gauche.

3. Choisissez une signature dans la liste Aspect de la signature et cliquez sur le bouton Supprimer.

Une boîte de dialogue d'alerte s'affiche et vous demande de confirmer la suppression.

4. Cliquez sur OK.

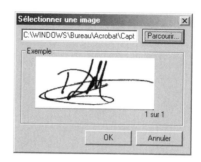

Figure 13.13
Lorsque votre signature est sélectionnée, cliquez sur OK pour en avoir un aperçu.

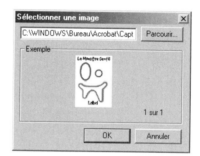

Figure 13.14
Vous pouvez ajouter une image ou un logo à votre signature.

Figure 13.15
Pour signer un document, choisissez Outils >
Signatures numériques > Apposer une signature.

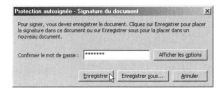

Figure 13.16
Entrez votre mot de passe et cliquez sur
le bouton Enregistrer ou Enregistrer sous.

Figure 13.17
La signature apparaît dans votre document.

@ **Astuce**

Il n'est pas possible de copier ou de modifier une
signature dans la section Aspect de la signature
de la boîte de dialogue Protection autosignée –
Paramètres spécifiques à.

Signature d'un document

Signer un document

1. Choisissez Outils > Signatures numériques >
    Apposer une signature (voir Figure 13.15).

    Une boîte de dialogue s'affiche pour vous
    informer que l'outil Signature numérique a
    été sélectionné à votre intention. Cliquez sur
    OK.

    ou

    Activez l'outil Signature (D) dans la barre
    d'outils Commentaires.

2. Dans le document, dessinez un cadre à
    l'emplacement où vous souhaitez apposer la
    signature.

    Lorsque vous relâchez le bouton de la souris,
    la boîte de dialogue Protection autosignée –
    Signature du document s'affiche (voir
    Figure 13.16).

3. Entrez votre mot de passe et cliquez sur Enre-
    gistrer ou Enregistrer sous pour enregistrer le
    document courant (ce qui est nécessaire pour
    créer une signature).

    Un message d'alerte s'affiche pour vous
    informer que la signature du document a été
    effectuée avec succès.

4. Cliquez sur OK pour fermer le message.

    Votre signature apparaît (voir Figure 13.17).

ⓘ Infos

- Vous pouvez signer un document de façon visible ou invisible. Lorsque vous signez de façon invisible (en choisissant Outils > Signatures numériques > Apposer une signature invisible), une signature s'affiche dans la palette Signatures (voir Figure 13.18). Pour accéder à la palette Signatures, choisissez Signatures dans le menu Fenêtre.

- Le menu de la palette Signature contient des éléments identiques à ceux qui apparaissent lorsque l'on choisit Outils > Signatures numériques. Depuis ce menu, vous pouvez apposer une signature, la supprimer, vérifier sa validité ou consulter ses propriétés (voir Figure 13.19).

- Pour choisir une des signatures ou images que vous avez stockées, cliquez sur le bouton Afficher les options dans la boîte de dialogue Protection autosignée – Signature du document. Dans la section Aspect de la signature, choisissez une signature dans la liste déroulante (voir Figure 13.20).

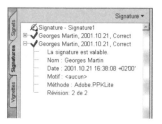

Figure 13.18
Même si la signature est invisible dans le document, un enregistrement de votre signature s'affiche dans la palette Signatures.

Figure 13.19
La boîte de dialogue Protection autosignée – Propriétés de la signature permet de compléter les informations qui apparaissent avec votre signature.

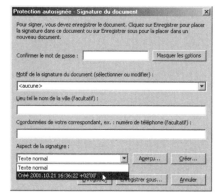

Figure 13.20
Choisissez votre signature dans le menu Aspect de la signature.

Automatisation d'Acrobat

Lors de la création et de la modification de documents PDF en vue de les préparer pour la distribution, vous serez souvent amené à répéter plusieurs fois les mêmes tâches.

De plus, vous devrez souvent effectuer les mêmes opérations sur plusieurs documents simultanément. En permettant l'automatisation de certaines procédures, Acrobat vous soulage de ces tâches répétitives.

Le traitement par lot permet, par exemple, d'imprimer la première page de plusieurs documents et de combiner plusieurs commandes en une seule action. Acrobat contient également une fonction appelée Consultant Acrobat qui analyse automatiquement vos documents pour déterminer si leur structure est la plus fonctionnelle possible.

Utilisation du traitement par lot dans Acrobat

Le traitement par lot permet d'appliquer un jeu de commandes prédéfinies sur un ou plusieurs documents. La meilleure technique pour traiter un lot de fichier consiste à les placer dans un même dossier (sous Mac OS toutefois, les fichiers peuvent se trouver dans des dossiers différents) et à lancer le processus avant de quitter son bureau.

Acrobat 5 est livré avec plusieurs processus de traitement par lot qu'il est possible de personnaliser, mais vous pouvez aussi créer vos propres processus de traitement par lot.

- **Affichage rapide pages Web** permet d'optimiser les documents PDF pour un affichage sur le Web. Consultez le Chapitre 15 pour plus d'informations.

- **Créer des vignettes** exécute la commande Incorporer toutes les vignettes sur chaque document.

- **Définir protection sans modification** applique les paramètres standard de protection du document (ce qui comprend l'interdiction de la modification des documents) à tous les documents sélectionnés.

- **Enregistrer tout sous RTF** permet d'enregistrer tous les fichiers PDF sélectionnés au format RTF (ce qui permet de les ouvrir dans un traitement de texte).

- **Imprimer la première page** permet d'imprimer la première page de tous les documents sélectionnés.

Figure 14.1
Choisissez Fichier > Traitement par lot >
Créer des vignettes pour lancer le
processus sur un ou plusieurs fichiers.

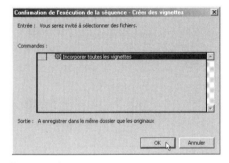

Figure 14.2
Dans la boîte de dialogue Confirmation de l'exécution
de la séquence, consulte la liste des commandes
(qui peuvent être nombreuses) et cliquez sur OK.

Figure 14.3
Sélectionnez les fichiers que vous souhaitez traiter
et cliquez sur OK pour lancer le processus.

- **Imprimer tout** imprime tous les documents sélectionnés.
- **Ouvrir tout** permet de sélectionner un ensemble de fichiers à ouvrir.
- **Supprimer fichiers joints** utilise la fonction Consultant PDF pour trouver et supprimer tous les fichiers joints se trouvant dans les fichiers PDF sélectionnés.

Traiter un ou plusieurs documents

1. Choisissez Fichier > Traitement par lot > Créer des vignettes (voir Figure 14.1).

   La boîte de dialogue Confirmation de l'exécution de la séquence s'ouvre (voir Figure 14.2). Cette boîte de dialogue contient la liste des commandes incluses dans la séquence (ou processus) sélectionnée.

2. Cliquez sur OK.

   La boîte de dialogue Sélectionner les fichiers à traiter apparaît (voir Figure 14.3).

3. Sélectionnez le ou les fichiers à traiter.

4. Cliquez sur Sélectionner pour lancer le processus.

   Une barre de progression reflète la progression du processus (voir Figure 14.4). Une fois le travail terminé, tous les fichiers que vous avez sélectionnés contiennent des vignettes incorporées.

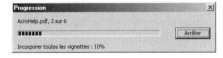

Figure 14.4
La barre de progression reflète l'avancement
du processus.

⊚ Astuce

Sous Windows, lorsque vous sélectionnez les fichiers à traiter, tous les fichiers doivent se trouver dans le même dossier. Sous Mac OS, vous pouvez sélectionner des fichiers dans différents dossiers. Utilisez la combinaison Maj + clic pour sélectionner des fichiers contigus et Ctrl + clic pour sélectionner des fichiers non contigus.

Traiter plusieurs fichiers PDF

1. Choisissez Fichier > Traitement par lot > Modifier les séquences.

   La boîte de dialogue Séquences à traiter s'affiche (voir Figure 14.5).

2. Sélectionnez la séquence que vous souhaitez exécuter et cliquez sur le bouton Modifier.

   La boîte de dialogue Modifier la séquence s'affiche (voir Figure 14.6).

   Puisqu'on souhaite traiter un ensemble de fichiers, il faut localiser le dossier contenant les fichiers à traiter.

3. Choisissez Sur le dossier sélectionné dans la liste Exécuter les commandes.

4. Cliquez sur le bouton Sélectionner.

   La boîte de dialogue Rechercher un dossier s'ouvre (voir Figure 14.7).

5. Sélectionnez le dossier que vous souhaitez utiliser et cliquez sur OK pour le sélectionner.

Figure 14.5
La boîte de dialogue Séquences à traiter.

Figure 14.6
Choisissez Sur le dossier sélectionné dans la liste Exécuter les commandes.

Figure 14.7
Choisissez le dossier sur lequel vous souhaitez exécuter les commandes.

Figure 14.8
Choisissez la séquence que vous avez modifiée.

Figure 14.9
Toutes les erreurs et les avertissements apparaissent sous la barre de progression.

6. De retour dans la boîte de dialogue Modifier la séquence, choisissez un emplacement de sortie pour les fichiers traités.

7. Cliquez sur OK pour quitter la boîte de dialogue Modifier la séquence.

Vous revenez à la boîte de dialogue Séquences à traiter.

8. Cliquez sur Fermer.

9. Choisissez Fichier > Traitement par lot et choisissez la séquence que vous venez de modifier dans le sous-menu (voir Figure 14.8).

La boîte de dialogue de Confirmation de l'exécution de la séquence s'affiche.

10. Cliquez sur OK pour lancer le processus de traitement par lot.

Une barre de progression permet de suivre l'évolution du travail (voir Figure 14.9). La section Avertissements et erreurs affiche la liste de tous les fichiers qui ne sont pas des fichiers PDF.

Création et modification des séquences

Une séquence de traitement par lot est une liste de commandes qu'Acrobat exécute dans l'ordre qui a été défini. Si vous avez déjà travaillé avec des macros dans un traitement de texte ou avec des scripts dans d'autres programmes, vous n'aurez aucun mal à créer de nouvelles séquences et à personnaliser celles existantes.

Créer une nouvelle séquence de traitement par lot

1. Choisissez Fichier > Traitement par lot > Modifier les séquences.

   La boîte de dialogue Séquences à traiter s'affiche.

2. Cliquez sur le bouton Créer.

   La boîte de dialogue Nom de la séquence s'affiche (voir Figure 14.10).

3. Nommez la séquence et cliquez sur OK.

   La boîte de dialogue Modifier la séquence s'affiche (voir Figure 14.11).

4. Dans la section Sélectionner une séquence de commandes, cliquez sur le bouton Commandes.

   La boîte de dialogue Modifier la séquence s'ouvre (voir Figure 14.12).

5. Choisissez les commandes que vous souhaitez qu'Acrobat exécute en sélectionnant une commande dans la liste de gauche et en cliquant sur le bouton Ajouter.

   ou

   Double-cliquez sur le nom de la commande dans la liste de gauche pour la faire apparaître dans celle de droite.

   Les commandes s'affichent dans la liste de droite.

6. Pour modifier l'ordre des commandes dans la liste de droite, sélectionnez celle que vous souhaitez déplacer et cliquez sur les boutons Monter ou Descendre.

7. Cliquez sur OK lorsque vous avez fini d'ajouter des commandes.

   La boîte de dialogue Modifier la séquence se ferme et vous revenez à la boîte de dialogue précédente.

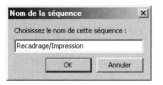

Figure 14.10
Nommez la séquence. Vous pouvez par exemple utiliser le nom des commandes qu'elle contient.

Figure 14.11
Cliquez sur le bouton Commandes pour ajouter des commandes.

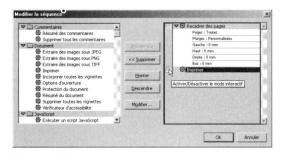

Figure 14.12
Cliquez sur le bouton Ajouter pour ajouter des commandes à la liste.

Figure 14.13
Sélectionnez un dossier dans la liste et cliquez sur OK.

Figure 14.14
La boîte de dialogue Options de sortie permet d'indiquer où placer les fichiers traités et comment les nommer.

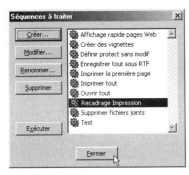

Figure 14.15
La nouvelle séquence est ajoutée aux séquences existantes.

8. Dans la section Exécuter les commandes, choisissez sur quels fichiers exécuter la séquence.

9. Si vous choisissez d'exécuter les commandes sur un dossier, cliquez sur le bouton Sélectionner pour choisir le dossier à traiter (voir Figure 14.13). Cliquez sur OK pour valider la sélection du dossier et revenir à la boîte de dialogue Modifier la séquence.

10. Dans la section Sélectionnez l'emplacement de sortie, choisissez un emplacement dans le menu.

Dans cet exemple, on choisit de placer les fichiers de sortie dans le même dossier que les originaux. Si vous souhaitez choisir un dossier spécifique, cliquez sur le bouton Sélectionner pour choisir le dossier dans lequel vous souhaitez enregistrer les fichiers.

11. Cliquez sur le bouton Options de sortie.

La boîte de dialogue du même nom s'affiche (voir Figure 14.14).

12. Choisissez une dénomination pour les fichiers et un format de sortie.

13. Cliquez sur OK pour configurer la nouvelle séquence.

Une nouvelle séquence s'affiche dans la boîte de dialogue Séquences à traiter (voir Figure 14.15).

14. Cliquez sur le bouton Fermer.

⑥ Astuce

Si vous souhaitez traiter des fichiers autres que des fichiers PDF (qui seront convertis en PDF durant le processus), cliquez sur le bouton Options du fichier source dans la boîte de dialogue Modifier la séquence (voir Figure 14.16). La boîte de dialogue Options du fichier source s'ouvre (voir Figure 14.17) et affiche la liste de tous les fichiers qu'il est possible d'importer.

Modifier une séquence de traitement par lot

1. Choisissez Fichier > Traitement par lot > Modifier les séquences.

La boîte de dialogue Séquences à traiter s'ouvre.

2. Sélectionnez dans la liste la séquence que vous souhaitez modifier.

3. Cliquez sur le bouton Modifier.

La boîte de dialogue Modifier la séquence s'ouvre.

4. Cliquez sur le bouton Commandes.

La boîte de dialogue Modifier la séquence s'ouvre (voir Figure 14.18).

5. Ajoutez ou supprimez des commandes pour modifier la séquence et cliquez sur OK.

Vous revenez à la boîte de dialogue précédente.

6. Cliquez sur OK pour revenir à la boîte de dialogue Séquences à traiter.

7. Cliquez sur le bouton Fermer.

La séquence modifiée est prête à être exécutée.

Figure 14.16
Cliquez sur le bouton Options du fichier source pour choisir d'autres types de fichiers à traiter.

Figure 14.17
Acrobat traitera tous les types de fichiers sélectionnés.

Figure 14.18
Modifiez la séquence en ajoutant ou en supprimant des commandes.

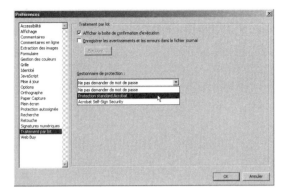

Figure 14.19
Les Préférences pour le traitement par lot.

Configuration des préférences pour le traitement par lot

Acrobat ne propose pas énormément d'options relatives au traitement par lot, mais elles peuvent affecter la rationalisation de votre travail, surtout si vous utilisez un gestionnaire de protection.

Configurer les préférences pour le traitement par lot

1. Choisissez Edition > Préférences > Générales.

   La boîte de dialogue Préférences s'affiche (voir Figure 14.19).

2. Sélectionnez Traitement par lot dans la liste de gauche.

   Les options de traitement par lot s'affichent :

   - **Afficher la boîte de confirmation d'exécution** permet d'afficher la progression du processus de traitement par lot.

   - **Enregistrer les avertissements et les erreurs dans un fichier journal** permet de sauvegarder l'enregistrement des erreurs survenues durant le processus.

   - **Gestionnaire de protection** permet de déterminer ce qu'Acrobat doit faire lorsqu'il rencontre un fichier dont l'ouverture est protégée par mot de passe. Si vous choisissez Ne pas demander de mot de passe, le processus de traitement par lot s'arrête lorsque Acrobat rencontre un fichier protégé par mot de passe. Si vous choisissez Protection standard Acrobat, le programme vous demandera le mot de passe pour ouvrir le document. Enfin, si vous choisissez Acrobat Self-sign Security, Acrobat n'autorisera pas l'exécution d'une séquence tant que l'utilisateur ne se sera pas connecté avec un profil de signature authentifié.

3. Effectuez les changements nécessaires et cliquez sur OK.

⊚ Astuce

Si vous envisagez d'utiliser une séquence avec des documents protégés par mot de passe (et que l'option Protection standard Acrobat soit activée), assurez-vous que tous les documents dans le même dossier possèdent le même mot de passe. Si ce n'est pas le cas, seuls les documents possédant le mot de passe que vous entrerez au début de la séquence seront traités.

Utilisation de Consultant pour analyser les fichiers PDF

Acrobat contient une fonction appelée Consultant PDF. Elle permet d'examiner et d'optimiser les fichiers PDF avant de les transmettre aux utilisateurs. Elle a été conçue pour analyser le fonctionnement des modules externes ou agents d'Acrobat. Elle permet d'accomplir trois tâches :

- **Détecter et supprimer** permet de rechercher les éléments non indispensables comme les actions ou les pièces jointes superflues. Ces éléments peuvent être supprimés ou simplement signalés ; tout dépend des options choisies.

- **Contrôler l'utilisation de l'espace** indique le nombre total d'octets utilisés par certains éléments tels que les polices, les images, les signets, les formulaires, les destinations existantes et les commentaires, ainsi que la taille totale des fichiers. Cela permet de déterminer s'il est possible de réduire la taille d'un fichier.

- **Optimiser l'espace** permet de réduire la taille d'un fichier PDF en supprimant les signets et liens incorrects ou les définitions inutilisées. Avec le Consultant PDF, le terme optimiser signifie réduire la taille d'un fichier et non le préparer afin de le placer sur le serveur, comme c'est le cas avec d'autres fonctions d'Acrobat.

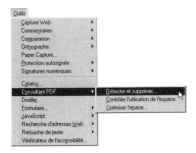

Figure 14.20
Choisissez Outils > Consultant PDF > Détecter
et supprimer.

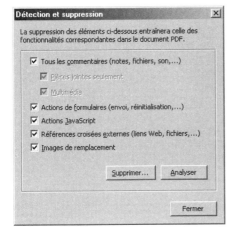

Figure 14.21
Choisissez les éléments que vous souhaitez
supprimer ou analyser.

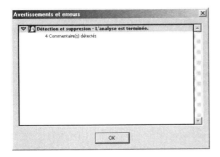

Figure 14.22
La boîte de dialogue Avertissements et erreurs
indique quels sont les éléments détectés.

Détecter et supprimer les éléments non nécessaires

1. Ouvrez le fichier à analyser.

2. Choisissez Outils > Consultant PDF > Détecter et supprimer (voir Figure 14.20).

   La boîte de dialogue Détection et suppression s'ouvre.

3. Activez ou désactivez les options qui correspondent aux éléments que vous souhaitez analyser (voir Figure 14.21).

   Gardez à l'esprit que si vous souhaitez supprimer une fonction, comme une action de formulaire, cette fonction sera supprimée du fichier PDF.

4. Cliquez sur Supprimer pour demander à Acrobat de supprimer tous les éléments sélectionnés.

   ou

   Cliquez sur Analyser pour rechercher les éléments sélectionnés dans votre document.

   Lorsque l'analyse est terminée, une boîte de dialogue Avertissements et erreurs s'affiche et indique les éléments trouvés dans le document.

5. Cliquez sur OK pour revenir à la boîte de dialogue Détection et suppression.

6. Cliquez sur Fermer.

Contrôler l'utilisation de l'espace avec le Consultant PDF

1. Ouvrez le fichier à analyser.

2. Choisissez Outils > Consultant PDF > Contrôler l'utilisation de l'espace.

   Un message d'avertissement s'affiche et vous demande d'enregistrer le document (voir Figure 14.23).

3. Cliquez sur Annuler si vous souhaitez enregistrer le fichier sous un nouveau nom ou sur OK si vous souhaitez continuer.

   Lorsque le contrôle est terminé, la boîte de dialogue Contrôle de l'espace affiche le résultat de l'analyse (voir Figure 14.24).

   Si vous souhaitez supprimer les éléments qui utilisent beaucoup d'espace, cliquez sur le bouton Supprimer pour ouvrir la boîte de dialogue Détection et suppression. Cochez les cases qui correspondent aux éléments que vous souhaitez supprimer et cliquez sur Supprimer.

Optimiser la taille d'un fichier avec le Consultant PDF

1. Ouvrez le fichier à optimiser.

2. Choisissez Outils > Consultant PDF > Optimiser l'espace.

   Un message d'avertissement s'affiche et vous demande d'enregistrer le document (voir Figure 14.25).

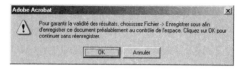

Figure 14.23
Acrobat vous demande d'enregistrer le document avant de procéder au contrôle.

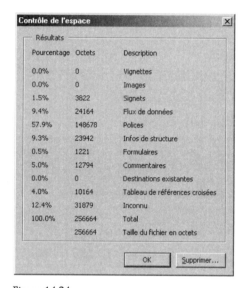

Figure 14.24
Le résultat s'affiche dans la boîte de dialogue Contrôle de l'espace.

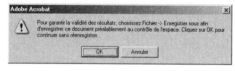

Figure 14.25
Enregistrez votre document avant d'exécuter le Consultant PDF.

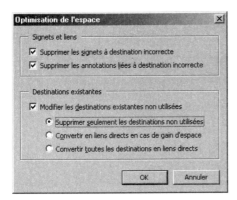

Figure 14.26
Cochez les cases qui correspondent aux éléments que vous souhaitez supprimer et cliquez sur OK pour lancer l'optimisation.

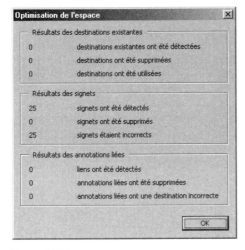

Figure 14.27
Vous pouvez voir combien d'éléments ont été trouvés et combien ont été supprimés.

3. Cliquez sur Annuler si vous souhaitez enregistrer le fichier sous un nouveau nom ou cliquez sur OK si vous souhaitez continuer.

Une fois que vous avez cliqué sur OK, la boîte de dialogue Optimisation de l'espace s'ouvre (voir Figure 14.26).

4. Pour qu'Acrobat vérifie la validité des liens, des signets et des destinations, cochez les options appropriées.

5. Cliquez sur OK pour lancer l'optimisation.

Lorsque l'optimisation est terminée, la boîte de dialogue Optimisation de l'espace affiche les résultats (voir Figure 14.27).

6. Cliquez sur OK.

Votre fichier sera plus petit et il sera plus facile à manipuler.

Les fichiers PDF et le Web

Le World Wide Web est basé sur le HTML.
Cependant, ce dernier n'est pas si compact
et souple, et s'il peut produire du contenu
attrayant pour l'œil, ce n'est pas toujours le cas.
Les concepteurs Web professionnels et les ama-
teurs avertis savent que les navigateurs peuvent
déformer les pages Web les mieux conçues.
Par ailleurs, il est impossible de connaître la
résolution d'affichage employée par tous les utilisateurs. Le PDF peut alors pallier ces difficultés
car c'est un format de document stable et indé-
pendant.

Il existe des fichiers PDF partout sur Internet,
sous forme de livres électroniques ou de formulaires de commande, par exemple.

Ce chapitre traite de l'utilisation d'Acrobat et
des fichiers PDF pour le Web de la lecture de
pages en ligne à la création et à l'affichage
de ces pages sur votre serveur Web.

Lecture de pages PDF en ligne

Les pages PDF peuvent être affichées en direct sur Internet par les navigateurs Netscape et Internet Explorer. Si le serveur Web qui abrite les pages est configuré correctement et si les pages PDF sont optimisées, l'utilisateur a la possibilité de charger les pages une par une. Dans un document de 300 pages, il peut donc choisir de n'afficher que les pages 1, 3, 16 et 243. Normalement, le programme d'installation d'Acrobat ou d'Acrobat Reader configure automatiquement votre navigateur pour une lecture en ligne, mais si ce n'était pas le cas, voici comment procéder manuellement.

Configurer un navigateur pour l'affichage de document PDF (Mac OS)

1. Ouvrez le dossier Adobe Acrobat. Une fenêtre s'affiche et montre son contenu (voir Figure 15.1).

2. Ouvrez le dossier Web Browser Plug-in.

   Une fenêtre s'affiche. Elle contient l'icône PDFViewer (voir Figure 15.2).

3. Ouvrez le dossier de votre navigateur dans une fenêtre différente.

4. Faites glisser l'icône PDFViewer dans le dossier Plug-ins de votre navigateur (voir Figure 15.3).

   La prochaine fois que vous lancerez votre navigateur, vous pourrez afficher les documents PDF.

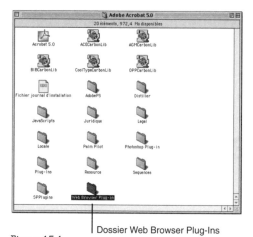

Dossier Web Browser Plug-Ins

Figure 15.1
Le dossier Web Browser Plug-Ins se trouve dans le dossier Acrobat 5.0.

Figure 15.2
Vous trouverez l'icône PDFViewer dans le dossier Web Browser Plug-in.

Figure 15.3
Faites glisser l'icône PDFViewer dans le dossier Plug-ins de votre navigateur.

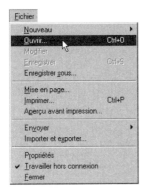

Figure 15.4
Choisissez Ouvrir dans le menu Fichier
de votre navigateur Web.

Contenu

Rubriques

- Création de documents universels
- Optimisation du travail d'équipe
- Gain de temps par la réutilisation du contenu d'un document PDF
- Protection et signature numérique de documents PDF
- Migration de formulaires pour support papier sur le Web
- Partage aisé d'informations en ligne

Présentation d'Acrobat 5.0
(fichier pdf :
223 Ko / 8 pages, en anglais)

Figure 15.5
Cliquez sur ce lien pour télécharger un document PDF.

http://www.adobe.fr/products/acrobat/pdfs/acroov.pdf

Figure 15.6
La barre d'état indique que le programme
est en train de charger un document PDF.

Afficher un document PDF test dans votre navigateur

1. Lancez votre navigateur Web.

2. Choisissez Ouvrir dans le menu Fichier (Ctrl + O / Cmd + O) [voir Figure 15.4].

3. Entrez l'URL **http://www.adobe.fr/products/acrobat/overview1.html**. Vous pouvez également taper cette adresse directement dans la barre d'adresse du navigateur.

4. Appuyez sur Entrée ou Retour.

   Un document PDF s'affiche dans votre navigateur.

5. Dans la section Présentation d'Acrobat 5.0, cliquez sur le lien intitulé fichier PDF 223 Ko/ 8 pages pour ouvrir le document PDF dans votre navigateur (voir Figure 15.5).

   La barre d'état montre que le navigateur est en train de charger un document PDF (voir Figure 15.6).

   Le fichier PDF s'affiche dans le navigateur (voir Figure 15.7).

   A présent, chaque fois que vous cliquerez sur un lien vers un fichier PDF, il s'ouvrira dans votre navigateur.

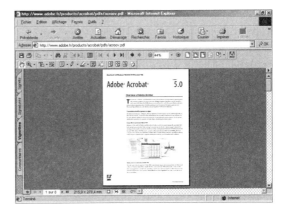

Figure 15.7
Le document PDF s'affiche dans votre navigateur.

⊚ Astuces

- Acrobat se charge en tant qu'application en arrière-plan, vous devez donc disposer de suffisamment de RAM pour permettre à votre navigateur et à Acrobat de fonctionner simultanément.

- La plupart des fichiers PDF disposent d'une extension .pdf. Si ce n'est pas le cas, votre navigateur ne les reconnaîtra pas en tant que fichiers Acrobat.

Modification de fichiers PDF en ligne

Il est possible de modifier un fichier PDF dans un navigateur Web exactement comme vous le feriez dans Acrobat. Ce système est très pratique lorsque vous travaillez en équipe, car plusieurs personnes peuvent ajouter des commentaires à un document et consulter les commentaires laissés par d'autres.

Il n'est cependant pas possible de modifier tous les fichiers PDF que votre navigateur affiche. Le fichier PDF doit se trouver sur un serveur spécialement configuré et la configuration de ce type de serveur dépasse le cadre de cet ouvrage. Consultez votre technicien réseau pour configurer des fichiers PDF afin qu'ils soient modifiables en ligne. Vous pouvez également vous référer à la documentation qui se trouve sur le CD Acrobat 5.0 dans le dossier Collaboration (en anglais).

Lorsque le type de serveur et les paramètres qui y sont associés sont configurés dans la boîte de dialogue Préférences, vous pouvez charger vos commentaires sur un serveur et télécharger les commentaires des autres utilisateurs.

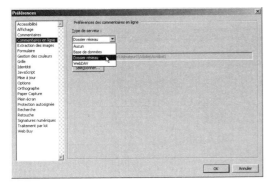

Figure 15.8
Choisissez le type de serveur dans la liste
de la boîte de dialogue Préférences.

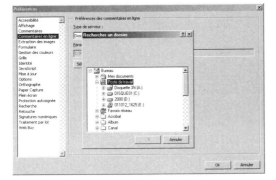

Figure 15.9
Si vous choisissez Dossier réseau, sélectionnez un dossier
dans la boîte de dialogue Rechercher un dossier.

Figure 15.10
Faites glisser un cadre à l'emplacement
où vous souhaitez placer une note.

Configurer les préférences pour les commentaires en ligne

1. Choisissez Edition > Préférences > Générales.

   La boîte de dialogue Préférences s'affiche.

2. Cliquez sur l'option Commentaires en ligne dans la liste de gauche.

3. Choisissez votre type de serveur dans le menu approprié (voir Figure 15.8) et entrez les paramètres requis.

   Votre administrateur réseau ou votre fournisseur d'accès Internet seront à même de vous donner les informations nécessaires à la configuration de ces paramètres.

4. Si vous choisissez d'utiliser un Dossier réseau, cliquez sur le bouton Sélectionner, sinon passez à l'étape 6.

   La boîte de dialogue Rechercher un dossier s'affiche (voir Figure 15.9).

5. Sélectionnez un dossier et cliquez sur OK.

   La boîte de dialogue se ferme et vous revenez à la boîte de dialogue Préférences.

6. Cliquez sur OK.

Ajouter des commentaires à un document

1. Ouvrez un fichier PDF dans votre navigateur Web.

2. Activez l'outil Note dans la barre d'outils Commentaires.

3. Dans le document, faites glisser un cadre autour de la zone dans laquelle vous souhaitez ajouter un commentaire (voir Figure 15.10).

   Une zone de note s'affiche.

4. Entrez du texte dans la note.

5. Vous pouvez, si nécessaire, afficher le panneau de commentaires en cliquant sur l'onglet Commentaires.

La référence de page correspondant à la note que vous avez ajoutée s'affiche (voir Figure 15.11).

6. Cliquez sur le signe + ou sur la flèche à gauche de la référence de page pour afficher le texte de votre commentaire.

Poster des commentaires

• Alors que le document PDF est ouvert dans le navigateur, cliquez sur le bouton Poster des commentaires dans la barre d'outils Commentaires en ligne (voir Figure 15.12).

Les commentaires sont postés automatiquement.

Télécharger des commentaires

• Pendant que le document PDF est ouvert dans le navigateur, cliquez sur le bouton Recevoir des commentaires dans la barre d'outils Commentaires en ligne (voir Figure 15.13).

Les commentaires sont automatiquement téléchargés.

◎ Astuce

Vous pouvez synchroniser l'envoie et la réception des commentaires en cliquant sur le bouton Télécharger des commentaires dans a barre d'outils Commentaires en ligne (voir Figure 15.14). Cette technique présente deux avantages : vous êtes certain que tous les autres utilisateurs peuvent consulter vos commentaires les plus récents et vous recevez les commentaires les plus récents des autres utilisateurs.

Figure 15.11
Vous pouvez ouvrir le panneau de commentaires en cliquant sur l'onglet Commentaires.

Figure 15.12
Cliquez sur le bouton Poster des commentaires dans votre navigateur Web.

Figure 15.13
Cliquez sur le bouton recevoir des commentaires dans votre navigateur Web.

Figure 15.14
Vous pouvez synchroniser les commentaires en cliquant sur le bouton Télécharger des commentaires.

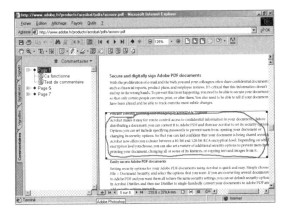

Figure 15.15
Sélectionnez le commentaire que vous
voulez supprimer en cliquant dessus.

Figure 15.16
Cliquez sur le bouton Afficher/Masquer les
commentaires pour afficher ou masquer
les commentaires dans le document PDF.

Supprimer des commentaires dans un document

1. Sélectionnez le commentaire en utilisant l'outil qui a servi à le créer (voir Figure 15.15).

2. Appuyez sur la touche Retour arrière/Suppr pour supprimer le commentaire.

   ou

   Cliquez droit (Ctrl + clic) sur le commentaire et choisissez Supprimer dans le menu Contextuel.

   ou

   Sélectionnez le commentaire dans le panneau Commentaires et appuyez sur la touche Retour arrière/Suppr.

   ou

   Sélectionnez le commentaire dans le panneau Commentaires et choisissez Supprimer dans le menu du panneau.

⑥ Astuce

Vous pouvez choisir d'afficher ou de masquer les commentaires dans le navigateur Web en cliquant sur le bouton Afficher/Masquer les commentaires dans la barre d'outils Commentaires en ligne (voir Figure 15.16).

Liaison d'une page Web à un document PDF

Bien qu'il soit possible d'incorporer un fichier PDF dans une page Web comme on le fait avec une image, vous pouvez aussi définir un lien qui ouvrira le document.

Lier un fichier PDF

1. Dans votre document HTML, choisissez l'emplacement où vous souhaitez insérer le lien.

2. Dans votre éditeur HTML, tapez la ligne suivante :

   ```
   <A HREF="pdfs/MaPage.pdf">Cliquez ici
   pour consulter le fichier PDF</A>
   ```

   pdfs désigne le dossier qui contient vos documents Acrobat. Il doit se trouver dans le même dossier que celui qui contient votre fichier HTML. *MaPage.pdf* correspond au nom de votre document. *Cliquez ici pour consulter le fichier PDF* correspond au texte du lien.

3. Enregistrez votre document HTML.

4. Ouvrez-le dans votre navigateur Web (voir Figure 15.17).

5. Cliquez sur le lien.

   Le plug-in Acrobat se charge et le document s'affiche dans votre fenêtre.

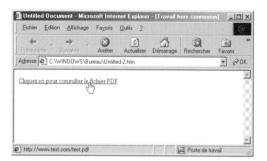

Figure 15.17
Cliquez sur le nouveau lien dans votre navigateur Web pour afficher le document PDF.

Distribution d'Acrobat Reader sur le Web

Lorsque vous achetez Acrobat, vous disposez également d'une version d'Acrobat Reader. Ce programme peut être téléchargé gratuitement et distribué. Commencez par lire la licence utilisateur pour vous assurer que la façon dont vous comptez distribuer Acrobat n'est pas contraire à la législation en vigueur. Vous devrez ensuite vous enregistrer auprès d'Adobe pour devenir distributeur d'Acrobat. Rendez-vous à l'adresse **http://www.adobe.fr:80/products/acrobat/distribute.html** et suivez les étapes imposées. Remplissez le formulaire qui se trouve à l'adresse **http://www.adobe.fr/products/acrobat/acrrdistribute.html**. Récupérez également les logos qui vous serviront à créer des liens de votre site vers le site Adobe. Toute la procédure à suivre est détaillée, vous n'avez plus qu'à suivre les instructions.

Serveurs Web compatibles

Certains vieux serveurs ne supportent pas la technique de byte-serving qui est utilisée pour l'optimisation des documents PDF. Pour vous assurer que ce n'est pas le cas du vôtre, rendez-vous à l'adresse **http://www.adobe.com/support/techguides/acrobat/byteserve/byteserv03.html**

Ce site Web présente des informations sur tous les logiciels serveurs courants (voir Figure 15.19). Il contient également un script générique DOS/UNIX qui peut fonctionner avec d'autres logiciels.

Actuellement, les plus anciennes versions de logiciels serveur supportant le byte-serving pour les fichiers PDF sont :

- Netscape Enterprise Server 2
- Netscape FastTrack Server 2
- OpenMarket Secure WebServer2
- WebStar 2 (pour Macintosh).

Consultez votre fournisseur d'accès Internet pour vous assurer qu'il utilise un de ces logiciels (ou un logiciel plus récent) ou bien qu'il peut mettre son serveur à jour à l'aide d'un script.

Optimisation des fichiers PDF pour un affichage en ligne

Pour qu'un serveur Web puisse expédier les pages d'un document une par une, il faut commencer par optimiser le fichier PDF. Dans les versions antérieures d'Acrobat, il suffisait de sélectionner une option au moment de l'enregistrement pour l'optimiser. Acrobat 5.0 permet maintenant de configurer l'optimisation comme un comportement par défaut.

Optimiser des fichiers PDF pour le Web

1. Choisissez Edition > Préférences > Générales (Ctrl + K / Cmd + K).

   La boîte de dialogue Préférences s'affiche.

2. Dans la liste de gauche, choisissez Options.

3. Assurez-vous que la case Autoriser l'affichage rapide des pages Web est cochée (voir Figure 15.18).

4. Cliquez sur OK.

   Tous les fichiers que vous enregistrerez seront automatiquement optimisés pour le Web et les documents s'afficheront page par page.

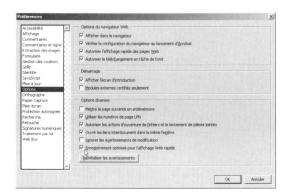

Figure 15.18
Cochez la case Autoriser l'affichage rapide des pages Web si elle n'est pas déjà cochée.

Figure 15.19
Le site Web Adobe contient des informations sur les logiciels serveurs disponibles et compatibles.

⊚ Astuce

Votre administrateur système vous dira proba-
blement si votre site Web est capable d'accueillir
les documents PDF optimisés pour le Web. Si ce
n'est pas le cas, il procédera à une mise à jour du
serveur ou vous orientera vers un serveur capable d'assumer cette tâche.

Suppression de l'optimisation d'un fichier PDF

Dans certains cas, vous souhaiterez que les utilisateurs chargent l'intégralité d'un document (et
non page par page). Si le document se trouve
intégralement sur la machine de l'utilisateur, ce
dernier pourra accéder plus rapidement à une
page donnée que s'il était obligé d'aller la télécharger sur Internet. Pour cela, vous devez créer
des fichiers non optimisés.

Supprimer l'optimisation d'un fichier PDF

1. Choisissez Edition > Préférences > Générales
   (Ctrl + K / Cmd + K).

   La boîte de dialogue Préférences s'affiche.

2. Dans la liste de gauche, choisissez Options.

3. Supprimez la coche de la case Autoriser
   l'affichage rapide des pages Web.

4. Cliquez sur OK.

5. Ouvrez le fichier PDF.

6. Choisissez Enregistrer sous dans le menu
   Fichier.

   La boîte de dialogue Enregistrer sous s'affiche.

7. Cliquez sur le bouton Enregistrer.

   Le fichier devra désormais être téléchargé
   intégralement avant de pouvoir être affiché
   dans le navigateur de l'utilisateur.

L'aide d'Acrobat

Même lorsque l'on maîtrise bien un programme, on peut avoir besoin d'aide à un moment ou à un autre. Dans le menu Aide (?), Adobe propose plusieurs choix qui permettent de trouver de l'assistance. Ces choix diffèrent selon les versions Windows et Macintosh du logiciel (voir Figures A.1 et A.2).

Ce menu est l'élément principal qui vous permettra de trouver de l'aide dans Acrobat. Pour accéder à l'aide, choisissez Aide d'Acrobat dans le menu Aide (?) [F1 / Cmd + ?]. Le fichier d'aide Acrobat s'ouvre et affiche des liens vers les trois sections principales du fichier : Aide, Sommaire et Index (voir Figure A.3).

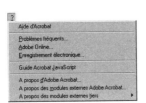

Figure A.1
Le menu d'aide de Windows.

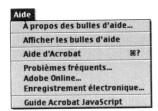

Figure A.2
Le menu d'aide Macintosh.

Figure A.3
La fenêtre d'aide d'Acrobat présente trois liens vers les sections principales.

Utilisation du sommaire

Dans le fichier d'aide, chaque sujet est signalé par un signet, ce qui permet d'y accéder rapidement. Pour vous aider à trouver ce que vous cherchez, les signets sont groupés hiérarchiquement dans le panneau Signets.

Utiliser le sommaire

1. Cliquez sur le lien Sommaire dans la partie supérieure ou inférieure de chaque page du fichier d'aide ou cliquez sur Sommaire dans la palette Signets (voir Figure A.4).

   Vous atteignez une page qui contient les principaux sujets du fichier d'aide grâce aux liens conduisant à chaque sujet.

2. Cliquez sur le symbole + (ou sur le triangle) à gauche du signet Sommaire pour afficher la liste des chapitres dans le panneau Signets (voir Figure A.5).

   Chaque chapitre dispose de son propre triangle ou signe +, ce qui indique qu'ils contiennent des sous-sections.

3. Dans le panneau de document ou dans le panneau Signets, cliquez sur le sujet que vous souhaitez afficher (voir Figure A.6).

   Acrobat afficha la page correspondante (voir Figure A.7).

Vous pouvez utiliser les outils de navigation d'Acrobat pour vous déplacer entre les pages. De plus, vous trouverez en bas et en haut à droite de chaque page des boutons permettant d'accéder aux pages précédentes et suivantes, ainsi que des boutons conduisant aux différents éléments du fichier d'aide (voir Figure A.8).

Figure A.4
Cliquez sur le lien Sommaire dans le panneau Signets.

Figure A.5
Cliquez sur le symbole pour afficher les sections regroupées sous un sujet.

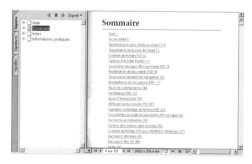

Figure A.6
Cliquez sur le sujet que vous souhaitez afficher.

Signet
Aide
Sommaire
Index
Informations juridiques
Création de fichiers PDF
Utilisation d'Acrobat Distiller
Conversion des fichiers créés à l'aide des applications Microsoft Office (Windows)
35 sur 321

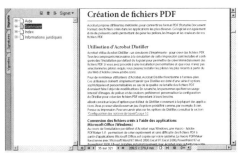

Figure A.7
Acrobat affiche la page relative au sujet sélectionné.

Aide | Sommaire | Index
Page précédente 35

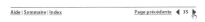

Figure A.8
Utilisez ces boutons pour vous déplacer de page en page.

Aide | Sommaire | Index
Page précédente 291
A B C D E F G H I J K L M N O P Q R S T U V W X Y Z
Index
A
Accessibilité
Actions
à l'aide de liens Web 114

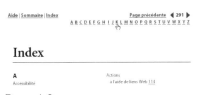

Figure A.9
Cliquez sur la lettre qui correspond à la première lettre du sujet sur lequel vous avez besoin d'informations.

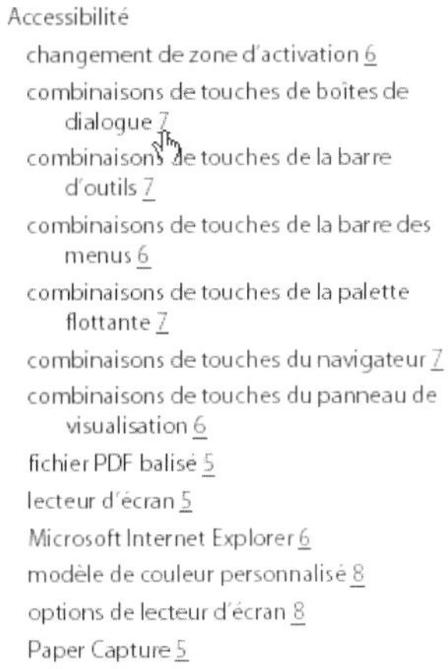
Accessibilité
changement de zone d'activation 6
combinaisons de touches de boîtes de dialogue 7
combinaisons de touches de la barre d'outils 7
combinaisons de touches de la barre des menus 6
combinaisons de touches de la palette flottante 7
combinaisons de touches du navigateur 7
combinaisons de touches du panneau de visualisation 6
fichier PDF balisé 5
lecteur d'écran 5
Microsoft Internet Explorer 6
modèle de couleur personnalisé 8
options de lecteur d'écran 8
Paper Capture 5

Figure A.10
Cliquez sur les numéros de page pour afficher les informations recherchées.

Recherche dans l'index

L'index est un moyen très pratique de trouver les informations dont on a besoin. Cette technique est plus rapide que celle qui consiste à parcourir la table des matières ou à lancer une recherche sur le texte.

Utiliser l'index

1. Dans le panneau de document ou dans la palette Signets, cliquez sur le mot Index.

   Vous accédez à la première page de l'index. Chaque page d'index contient une liste alphabétique de liens en son sommet et chacun de ces liens mène à la page d'index correspondante (voir Figure A.9).

2. Si vous travaillez dans le panneau Signets, cliquez sur le symbole à gauche du nom Index pour faire apparaître la liste alphabétique des entrées d'index.

3. Cliquez sur la lettre qui correspond à la première lettre du sujet recherché.

   Si vous cliquez sur *P*, vous serez immédiatement amené au début des entrées d'index qui correspondent à cette lettre. Pour trouver le mot *PDF* dans la section P, utilisez les outils de navigation d'Acrobat pour passer d'une page à l'autre.

4. Lorsque vous avez trouvé le sujet qui vous intéresse, cliquez sur le numéro de page correspondant (voir Figure A.10) pour atteindre cette page.

Impression de l'aide

Il est possible d'imprimer n'importe quelle page dans l'aide.

Imprimer l'aide

1. Utilisez les liens Sommaire ou Index pour afficher le sujet que vous souhaitez imprimer.

   Notez à quels numéros de page le sujet démarre et se termine.

2. Choisissez Imprimer dans le menu Fichier.

   La boîte de dialogue Imprimer s'affiche.

3. Dans la section Etendue, cliquez sur l'option Pages (voir Figure A.11).

4. Entrez la page de début dans le premier champ et la page de fin dans le second.

5. Cliquez sur OK pour imprimer les pages sélectionnées.

Utilisation des info-bulles

Pour vous aider à mémoriser les fonctions des différents outils, Acrobat met à votre disposition des info-bulles, des petites légendes qui s'affichent lorsque vous laissez le pointeur de la souris au-dessus d'un élément.

Utiliser les info-bulles

- Placez le pointeur de la souris au-dessus d'une icône ou d'un bouton.

  Une étiquette s'affiche. Elle indique le nom de l'élément ainsi que le raccourci clavier correspondant s'il existe (voir Figure A.12).

◎ Astuces

- Dans d'autres programmes Adobe, comme Photoshop, vous pouvez désactiver les info-bulles dans les Préférences. Ce n'est pas possible dans Acrobat.

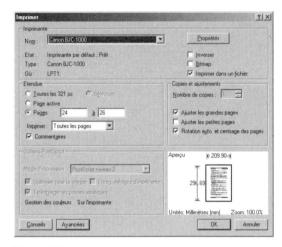

Figure A.11
Entrez les numéros de pages à imprimer et cliquez sur OK.

Figure A.12
L'info-bulle affiche le nom de l'outil sur lequel se trouve le pointeur de la souris.

Figure A.13
Le fait de sélectionner Adobe Online
fait apparaître cette boîte de dialogue.

Figure A.14
La boîte de dialogue Préférences Adobe Online
permet de planifier les mises à jour d'Acrobat.

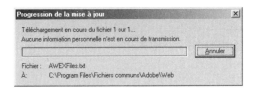

Figure A.15
Acrobat consulte le site Web Adobe pour vérifier
s'il existe une mise à jour de ses composants.

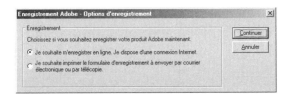

Figure A.16
Vous pouvez enregistrer votre copie d'Acrobat
de façon électronique, par fax ou par courrier.

• Le menu d'aide des Macintosh dispose
d'une fonction qui permet de désactiver
les info-bulles. Cette fonction ne concerne
toutefois que l'aide liée au fonctionnement
du Macintosh, elle ne concerne pas l'aide
d'Acrobat.

Autres éléments du menu d'aide

Le menu d'aide contient également des éléments
qui permettent de se connecter à Internet pour
obtenir des informations complémentaires sur
les modules externes et sur l'incorporation de
commandes JavaScript.

Adobe Online

Cette commande fait apparaître la boîte de dialogue Adobe Online (voir Figure A.13). Depuis
cette boîte de dialogue, vous pouvez prendre
connaissance des mises à jour et des nouveaux
plug-in existants. Il est également possible de
modifier les préférences relatives à Adobe
Online. En cliquant sur le bouton Accéder à
Online, vous accédez directement au site Web
Adobe Acrobat 5.0. En cliquant sur le bouton
Préférences, vous ouvrez la boîte de dialogue
Préférences Adobe Online (voir Figure A.14).
Lorsque vous cliquez sur le bouton Mise à jour,
le programme est automatiquement mis en
contact avec le site Web Adobe pour vérifier s'il
existe des versions plus récentes des composants
d'Acrobat (voir Figure A.15).

Enregistrement électronique

Choisissez Enregistrement électronique dans le
menu d'aide pour enregistrer votre copie du programme auprès d'Adobe. La boîte de dialogue
Options d'enregistrement s'affiche (voir
Figure A.16). Le message vous demande si vous
souhaitez vous enregistrer en ligne ou imprimer
un formulaire que vous pourrez faxer ou expédier par la poste.

Pour vous enregistrer en ligne, cochez l'option Je souhaite m'enregistrer en ligne et cliquez sur le bouton Continuer. Acrobat lance votre navigateur Web et affiche la page d'enregistrement du produit (voir Figure A.17).

Problèmes fréquents

Le fait de sélectionner Problèmes fréquents dans le menu d'aide affiche le service d'assistance clientèle Adobe dans le navigateur (voir Figure A.18). Vous pouvez cliquer sur n'importe quel sujet pour obtenir des informations complémentaires.

Guide Acrobat JavaScript

Cette commande fait apparaître un guide relatif à l'utilisation de codes JavaScript dans Acrobat. Utilisez ce guide comme vous utilisez le fichier d'aide (voir Figure A.19). Sélectionnez un sujet dans le panneau de gauche pour afficher la page correspondante dans le panneau de droite.

A propos d'Adobe Acrobat (Windows)

Cette commande fait apparaître un écran de présentation qui contient les noms des concepteurs du programme, son numéro de version, le nom de la personne détentrice de la licence et le numéro de série. Cliquez dans l'écran pour le faire disparaître.

Figure A.17
Adobe simplifie l'enregistrement en ligne.

Figure A.18
Acrobat permet une connexion au service clientèle en un seul clic.

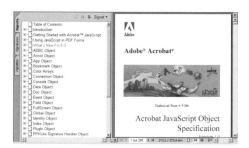

Figure A.19
Cliquez sur un sujet dans le panneau de gauche pour afficher la page correspondante dans le panneau de droite.

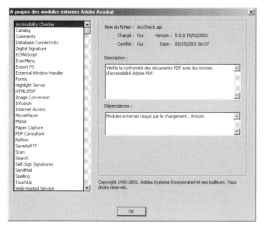

Figure A.20
Cette boîte de dialogue permet d'obtenir des
informations sur les différents plug-in d'Acrobat.

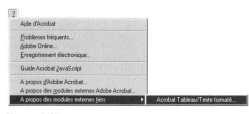

Figure A.21
Choisissez Aide > A propos des modules
externes tiers > Acrobat Tableau/Texte
formaté et choisissez le nom des Plug-in depuis
le sous-menu pour obtenir l'information souhaitée.

Figure A.22
Cette boîte de dialogue affiche les informations
et le copyright relatifs au plug-in.

A propos des modules externes Adobe Acrobat

Cette commande fait apparaître la boîte de
dialogue A propos des modules externes Adobe
Acrobat (voir Figure A.20). Elle contient la liste
de tous les plug-in standard d'Acrobat. Sélectionnez un module dans la liste de gauche et
pour afficher des informations le concernant
dans le panneau de droite. Cliquez sur OK
pour fermer la boîte de dialogue.

A propos des modules externes tiers

Utilisez cette commande si vous cherchez
des informations sur des modules externes de
fabriquant tiers. Choisissez le nom du module
qui vous intéresse dans le sous-menu qui s'affiche (voir Figure A.21). Une boîte de dialogue
contenant des informations sur l'élément choisi
s'affiche.

⑥ Astuces

- Avec un Macintosh, ces trois dernières commandes se trouvent dans le menu Pomme.
  La commande A propos des modules externes
  tiers ne s'affichera que si des plug-in externes
  ont été installés.
- Vous pourrez trouver une liste des plug-in
  approuvés par Adobe à l'adresse **www.adobe
  .com/products/plugins/acrobat/main.html**.

chapitre **B**

La sécurité

Vous craignez que vos documents tombent entre de mauvaises mains ou qu'un lecteur ne modifie votre prose ? Ou peut-être souhaitez vous distribuer vos documents de façon électronique, mais empêcher que des utilisateurs ne les impriment pour les redistribuer.

Acrobat contient des fonctions de sécurité qui permettent d'interdire les accès non autorisés, l'impression et la modification de fichiers PDF. Les fichiers PDF sécurisés sont capables de résister aux tentatives de détournement des schémas de protection par mot de passe.

Les paramètres des options de sécurité

Par défaut, les documents PDF sont ouverts, ce qui signifie que n'importe qui peut les ouvrir, les modifier, les réenregistrer, les imprimer ou copier du contenu. Les options de sécurité relatives aux documents doivent être activées manuellement.

Configurer les options de sécurité standard

1. Ouvrez le document que vous souhaitez protéger.

2. Choisissez Protection du document dans le menu Fichier (Ctrl + Alt + S / Cmd + Option + S) [voir Figure B.1].

   La boîte de dialogue Protection du document s'affiche (voir Figure B.2).

3. Choisissez Protection standard Acrobat dans le menu Mesures de sécurité.

   La boîte de dialogue Protection standard s'ouvre.

4. Cochez la case Requis pour ouvrir le document dans la section Mot de passe et entrez un mot de passe dans le champ Mot de passe utilisateur (voir Figure B.3).

5. Configurez les différentes options de la section Droits en fonction de vos besoins.

6. Cliquez sur OK.

   La boîte de dialogue se ferme.

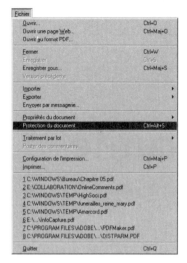

Figure B.1
Choisissez Protection du document dans le menu Fichier.

Figure B.2
Choisissez Protection standard Acrobat dans le menu Mesures de sécurité.

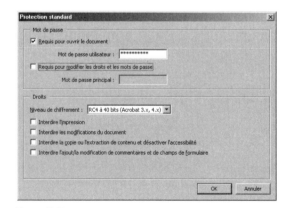

Figure B.3
Vous pouvez choisir un mot de passe pour l'ouverture du document et un autre pour modifier les paramètres de sécurité. Vous pouvez également choisir les droits à attribuer aux utilisateurs.

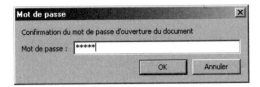

Figure B.4
Confirmez votre mot de passe
en le saisissant de nouveau.

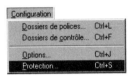

Figure B.5
Choisissez Protection
dans le menu Configuration.

7. Confirmez le mot de passe dans la boîte de dialogue suivante et cliquez sur OK (voir Figure B.4).

La boîte de dialogue Mot de passe se ferme et vous revenez à la boîte de dialogue Protection du document.

8. Cliquez sur le bouton Fermer.

9. Enregistrez le fichier.

Le document est désormais verrouillé. Si vous fermez le document, le seul moyen de le rouvrir est de fournir le mot de passe.

ⓖ Astuces

- Acrobat n'a pas de limite pour la taille des mots de passe, mais ceux-ci sont sensibles à la casse.

- La configuration d'un mot de passe utilisateur permet d'éviter qu'un utilisateur non autorisé ouvre un document. Le mot de passe principal permet d'éviter qu'un utilisateur ne modifie le mot de passe du document et les droits attribués aux utilisateurs.

- Distiller utilise la même boîte de dialogue Protection standard qu'Acrobat. Pour accéder à cette boîte de dialogue, choisissez Protection dans le menu Configuration (Ctrl + S / Cmd + S) [voir Figure B.5]. Lorsque vous appliquez un paramètre de sécurité dans Distiller, tous les fichiers créés héritent de ce paramètre. Si vous ouvrez un fichier traité dans Distiller avec une option de protection, vous devrez fournir un mot de passe.

Supprimer la protection d'un document

1. Ouvrez le document en utilisant le mot de passe.

2. Choisissez Fichier > Protection du document.

    La boîte de dialogue Protection du document s'affiche.

3. Choisissez Aucune protection dans le menu Mesures de protection.

4. Cliquez sur le bouton Fermer.

    Le document peut alors être ouvert sans mot de passe.

Autres options standard de sécurité

En plus de permettre l'interdiction de l'ouverture d'un document sans mot de passe, Acrobat propose plusieurs autres niveaux de protection.

La boîte de dialogue Protection standard (à laquelle on accède en cliquant sur le bouton Modifier les paramètres dans un document sécurisé, voir Figure B3) permet aussi de définir les droits des utilisateurs.

- **Interdire l'impression** permet comme son nom l'indique d'empêcher l'impression d'un document. Elle désactive la commande Imprimer du menu Fichier, ainsi que les raccourcis clavier correspondants (Ctrl + P et Cmd + P).

- **Interdire les modifications du document** empêche l'ajout ou la suppression de page et la modification des options de document. Cette fonction interdit également la modification des options de sécurité et désactive la plupart des commandes du menu Documents.

- **Interdire la copie ou l'extraction de contenu et désactiver l'accessibilité** empêche, la sélection, la copie et le collage des images et du texte. Cette option ne peut être utilisée si la fonction d'accessibilité est aussi activée.

Comment choisir un mot de passe

Si le document que vous souhaitez protéger est important, il est primordial de choisir un bon mot de passe. Suivez donc les recommandations suivantes :

- Ne l'écrivez nulle part. Si vous ne parvenez pas à mémoriser un mot de passe, n'en utilisez pas.

- N'utilisez pas un mot simple à deviner, comme le prénom de votre femme ou de vos enfants.

- Combinez des chiffres et des lettres. Si vous n'utilisez que des nombres dans un mot de passe de huit caractères, il y a 10 millions de combinaisons possibles. Si vous utilisez une combinaison de lettres et de chiffres, toujours sur huit caractères, 3 milliards de combinaisons sont possibles.

- Faites en sorte que votre mot de passe soit facile à mémoriser et difficile à trouver. Si quelqu'un de votre entourage peut deviner votre mot de passe, c'est qu'il est trop simple. Si vous devez l'écrire quelque part pour vous en souvenir, c'est qu'il est trop compliqué.

Figure B.6
Entrez le mot de passe pour ouvrir le document.

Figure B.7
Si vous avez saisi un mauvais mot de passe,
cliquez sur OK et réessayez. Au bout de trois
tentatives, vous êtes obligé de rouvrir le document.

- **Interdire l'ajout/la modification de commentaires et de champs de formulaire** empêche les utilisateurs de modifier les commentaires et les champs de formulaire. N'activez pas cette option dans les documents qui contiennent des champs de formulaire qui doivent être remplis par les utilisateurs.

Ouverture de documents PDF sécurisés

Il suffit de quelques instants pour ouvrir un fichier sécurisé par mot de passe, que vous soyez l'auteur de ce mot de passe ou non.

Ouvrir un fichier PDF verrouillé

1. Double-cliquez sur l'icône du fichier ou sélectionnez-le dans la boîte de dialogue Ouvrir d'Acrobat.

   La boîte de dialogue Mot de passe s'affiche et vous indique que le document est protégé par mot de passe (voir Figure B.6).

2. Entrez le mot de passe et cliquez sur OK pour ouvrir le document.

   Si vous avez entré un mauvais mot de passe, un message d'alerte s'affiche (voir Figure B.7). Cliquez sur OK pour revenir à la boîte de dialogue Mot de passe. Entrez à nouveau le mot de passe et cliquez sur OK.

⊚ Astuce

Une fois qu'un mot de passe erroné a été saisi trois fois, la boîte de dialogue cesse d'apparaître et vous devez rouvrir le document à l'aide de la boîte de dialogue Ouvrir ou en double-cliquant dessus.

Vérification des paramètres de sécurité

Une fois que vous avez ouvert un document protégé, vous pouvez vérifier ses paramètres de
sécurité. Ces paramètres permettent de savoir ce
que l'on est libre de faire ou non avec un document donné.

Vérifier les paramètres de sécurité d'un fichier

1. Ouvrez le document dont vous souhaitez
    examiner les paramètres de sécurité.

2. Choisissez Protection du document dans le
    menu Fichier.

    La boîte de dialogue Protection du document
    s'affiche.

3. Cliquez sur le bouton Afficher les paramètres
    pour afficher la configuration de la protection
    sur ce document.

    Les options diffèrent en fonction de la mesure
    de protection sélectionnée (Protection stan-
    dard Acrobat ou Self-sign Security) [voir
    Figures B.8 et B.9].

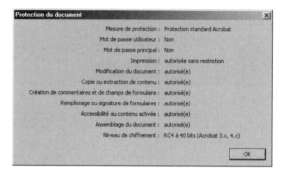

Figure B.8
Paramètres d'un document protégé
avec le mode Self-sign Security.

Figure B.9
Paramètres d'un document protégé avec
le mode Protection standard Acrobat.

Index

LOUIS - JEAN
avenue d'Embrun, 05003 GAP cedex
Tél. : 04.92.53.17.00
Dépôt légal : 829 – décembre 2001
Imprimé en France